FRANCE CASTEL

SOLIDE

et

FRAGILE

FRANCE CASTEL

SOLIDE *et* FRAGILE

En collaboration
avec Christiane Dubreuil

LES ÉDITIONS 7 JOURS

LES ÉDITIONS 7 JOURS
Une division de TRUSTAR Ltée
2020, rue University, bureau 2000
Montréal (Québec) H3A 2A5

Éditeur : Claude J. Charron
Directrice : Annie Tonneau
Mise en pages : Jean Yves Collette
Conception graphique de la couverture : Laurent Trudel
Photos de la page couverture : Michel Pilon
Coordination maquillage et coiffure : Dany Cournoyer
Vêtements : Ariane Carl Design
Photos intérieures : collection personnelle
Révision et correction : Camille Gagnon, Marie-Suzanne Menier
Relations de presses : Alain Des Ruisseaux

Dépôt légal : quatrième trimestre 1995
Bibliothèque nationale du Québec
Bibliothèque nationale du Canada
ISBN 2-921221-40-3

À mes enfants,
David, Benoit et Dominique

REMERCIEMENTS

Je tiens à remercier toutes les personnes qui m'ont acceptée, aidée, secourue, soutenue et encouragée de quelque manière que ce soit. J'en nommerai ici plusieurs. D'autres se retrouveront aussi plus loin dans le livre.

Rita Martin-Boivin, ma mère,
et J.-M. Antonio Bégin ❤, mon père,
Louise, Diane, Jean-Pierre ❤, Hélène, François,
Paul et Lucie Bégin, mes sœurs et frères.

Johanne Cadorette-Lévesque, mon amie d'enfance ;
Mickie Hamilton, Flo Galant, Daniel Malenfant ;
Dominique, Jean-Louis et Monique Tordion ;
Monsieur L. Portal, L. Éthier, Louis Saïa,
Marie-Josée.

Merci à Dieu et ses anges, sur la terre comme au ciel

Pierre Collin et Sylvia,
Gaétan Privé et Christine,
Daniel,
Normand Schiavone et Petit Jean,
Christiane,
Dr Léo La Salle.

Paulette Guinois
Nicole Lafontaine

Anne-Marie Alonzo

Léa Pool,
Marc-André et Linda Forcier,
Marie-Jan Seille,

Mario Saint-Amant, Alvaro, Monique Richard,
Andrée Lachapelle, Linda Sorgini, Françoise Faucher,
Béatrice Picard.

Marie-Ève, André Richard, Hughes, Michel, Claude,
Pascal Lennad ;
Maxime Vanasse, Tessa Goulet,
Martine Tessier.

Jean Bissonnette, Louison Danis, Murielle Dutil,
Marie Laberge, Pierre Bernard, Alice Ronfard,
Lorraine Pintal, Marthe Mercure.

Je remercie spécialement mon amie Christiane Dubreuil, coauteure de ce livre, pour son talent, sa constance et son affection. Je lui dis merci pour toute sa « lumière » !

Je remercie aussi les Louise, Yolande, Réal, Andrée, Lise, Jean-Marie, le Grand, Vivi, Johnny, Jimmy, etc.
pour tout ce que j'ai dû dépasser et regarder en pleine face.

Et surtout, merci à Alain,
pour la beauté de son être
et pour son amour véritable !

PRÉFACE

Certains regrettent de n'avoir rien vécu et d'autres, d'avoir trop vécu. Certains sont codépendants d'une personne qui « consomme » ou sont tout simplement dépendants affectifs de quelqu'un. D'autres s'achètent des vêtements comme on fait l'épicerie ou se lancent dans l'achat de maisons, le jeu, le travail forcené, etc. Ces façons de vivre sont toutes aussi dévastatrices les unes que les autres. Les « mots » codépendants, dépendants affectifs, acheteurs compulsifs, joueurs, travailleurs forcenés, etc., sont autant de « maux » qui camouflent autant de problèmes beaucoup plus profonds. Consommer une substance n'est pas nécessairement consommer de l'alcool ou de la drogue. C'est aussi consommer des objets (achats), de la nourriture, du sexe... Et quand cette consommation déborde la normalité, c'est souvent parce que notre « être » est atteint... C'est notre « être » qui est en manque.

Notre système de défense se met alors en branle pour combler ce manque. Mais, probablement par ignorance et sûrement par faible estime de nous-mêmes, nous cherchons à combler ce manque avec des choses extérieures à nous, des choses qui appartiennent plus à l'acquis, et à l'avoir qu'à l'être. « L'avoir » ne pourra jamais combler « l'être ». La preuve est que nous sommes constamment obligés de répéter les mêmes gestes pour endormir momentanément le vrai problème de fond, en satisfaisant notre dépendance. Mais le problème de fond n'est pas endormi à tout jamais pour autant. Et dès qu'il s'éveille à nouveau, nous retournons à notre substance, qui ne peut jamais nous assouvir, nous rassasier une fois pour toutes.

C'est ce qui m'est arrivé pendant longtemps. Tant et aussi longtemps que je ne voulais pas, et surtout, ne pouvais pas voir. Il est arrivé un moment où j'ai accepté de regarder. Ce que j'ai vu m'a permis de confirmer mon intuition : toute ma vie, j'ai répété les patterns de mon enfance, mais pas tels quels ; ç'aurait été trop évident. À mon insu, je les ai transposés, déguisés, si bien que je me suis leurrée longtemps.

Je suis allée loin, très loin pour ne pas voir, pour ne pas souffrir. Mais j'ai souffert quand même. Et les souffrances étaient destructrices. Quand je suis enfin allée voir, j'ai souffert aussi, mais ces souffrances sont devenues la clé de mon rétablissement.

FRANCE CASTEL

Chapitre 1

NOTRE PREMIÈRE
RENCONTRE

« Mesdames et messieurs, bonsoir ! » Nous sommes au début de mars 1966. J'ai vingt-deux ans. J'affiche mon plus beau sourire pour vous souhaiter la bienvenue. C'est ma première apparition à la télé, à l'émission *Les Couche-Tard*. J'ai été choisie par Radio-Canada pour être votre hôtesse pendant tout le mois : « Miss Mars ». À côté de Jacques Normand et de Roger Baulu, je suis encore petite, mais je me sens enfin à ma place. Cette place que je cherche depuis ma tendre enfance dans le cœur des autres et dans le mien.

J'avais bien ri quand les recherchistes m'avaient parlé d'un concours d'hôtesse à cette émission. Et encore plus quand ils m'avaient demandé si j'avais envie d'y participer. « Douze finalistes seront choisies. Chacune d'elles sera hôtesse pendant un mois. À la fin de l'année, une seule d'entre elles sera élue ‹ Miss Couche-Tard › et demeurera hôtesse pendant l'année d'Expo 67. » J'avais ri... mais j'ai tenté ma chance quand même. Je m'ennuyais... J'étais prête à tout pour vivre autre chose, prête à tout pour vivre, enfin !

Un nom tout neuf : une nouvelle vie !

Je vous suis présentée sous le nom de France Castel. En réalité je viens tout juste de changer de nom et de carrière. Mon nom véritable est Francine Bégin, et je sors d'une entreprise où j'étais secrétaire-comptable. À quoi dois-je ce changement d'orientation ? À une remise en question profonde, à la suite d'une peine d'amour avec un « tricheur ». Quand j'ai rencontré cet homme, j'avais vingt-deux ans et j'étais en pleine révolte. Depuis l'âge de dix-neuf ans, je disais non à tous ceux qui voulaient m'approcher. Je sortais d'un mariage précoce et douloureux qui avait duré quatre ans de peine et de misère : à quinze ans et demi, j'avais épousé un Italien de vingt-cinq ans. Je croyais que le mariage ressemblait aux films de Doris Day, style « petit tablier blanc, nappe blanche, chandelles, musique douce... ». J'ai été confrontée à une réalité tout autre. Heureusement, je travaillais dans un bureau, le jour, ce qui m'a permis, au bout de quatre ans, avec la complicité de mon patron, de cacher une augmentation de salaire pour préparer ma sortie. Je suis donc partie avec mon linge empilé dans quelques sacs de chez Steinberg et environ trois cents dollars. Je ne possède pas de photos de cette union, sauf une : le photographe voulait à tout prix prendre un cliché de la mariée seule. Avait-il vu juste ?

En quittant cette maison, j'étais atteinte dans toutes mes fibres, et je me suis fait la promesse d'être indépendante et de ne plus me fier qu'à moi. Les hommes de pouvoir me faisaient peur, non pas parce que je craignais leur pouvoir, mais plutôt parce que, tapi sous ce pouvoir, se cachait souvent l'abus. Et ça, je n'étais plus capable de le prendre !

C'est ainsi que j'ai vécu quatre années de révolte et de célibat jusqu'à ce que je rencontre cet homme « tricheur ». Il était, à mes yeux, patient, intègre, plein d'idéals. J'ai accepté d'être courtisée. Nous nous sommes fréquentés pendant un an. Il me disait souvent qu'éventuellement nous vivrions ensemble. Je l'aimais. Je le croyais... Jusqu'au jour où j'ai appris qu'il était marié et père de trois enfants. « J'ai tout avoué à ma femme », disait-il, comme pour s'excuser et légitimer le mal qu'il me faisait. Je me sentais trahie dans ma confiance, en proie à une sourde colère, profondément blessée. Mais, en même temps, cette expérience me permettait de découvrir jusqu'à quel point j'étais insatisfaite dans ma vie en général. Non seulement j'avais un goût de changement, mais d'un grand changement. J'avais déjà chanté aux *Découvertes de Jean Simon* avant de me marier. J'y étais allée assidûment pendant six mois, les dimanches. Et j'y avais gagné souvent. « Je serai chanteuse ! »

Mais, pour être une vraie artiste, il fallait changer de nom. Du moins, c'était la mode du temps.

J'avais choisi celui de France Claudel. Je m'étais fait faire des photos et en avais commandé l'impression en y joignant mon nouveau nom. Peu de temps après, j'ai reçu la visite d'une fille qui se nommait Lise Claudel. Il n'était pas question que j'aie le même nom qu'elle : elle avait fait enregistrer le sien. Comment faire pour changer celui que j'avais choisi sans que les coûts de typographie augmentent trop chez l'imprimeur ? En remplaçant Claudel par Castel. Et c'est ainsi que, en ce début de mars 1966, je vous suis présentée sous le nom de France Castel.

Je cherche un producteur

Je fais mon mois de mars aux *Couche-Tard*, tout en cherchant un producteur. Pour me faire connaître en tant que chanteuse, rien de mieux qu'un disque ! Bien décidée à faire carrière dans la chanson, je prends donc rendez-vous avec une compagnie de disques du nom de Quality Records. Le soir même, je rencontre Alberto, un Italien, comme mon ex-mari. Je suis à son bureau, il joue du piano, comme mon père, dont il a le même âge, et me fait entendre des chansons qui, selon lui, me conviennent. J'ai la sensibilité à fleur de peau. La rupture avec mon homme marié est très récente, et les chansons d'amour qu'il me fait entendre me touchent le cœur. Je pleure ma peine. Il me console. Je dors à son bureau. Il me veille...

Et quelques mois plus tard...

J'apprends que je suis élue « Miss Couche-Tard » en même temps qu'on m'annonce que je suis enceinte depuis cette fameuse nuit au bureau d'Alberto, avec qui je ne voudrai plus de rapprochement. Mon contrat aux *Couche-Tard* est de six mois. Yvon Duhaime me fait des costumes ligne A : c'est très à la mode, mais surtout très pratique pour cacher ma condition. De temps à autre, je fais réajuster le costume à mes dimensions fluctuantes. Je fais comme si de rien n'était et je chante même en première partie du spectacle de Jacques Normand, en tournée partout au Québec.

Ce rôle de « Miss Couche-Tard » me donne l'occasion de rencontrer tout le monde du milieu artistique, lequel m'ouvre toutes grandes ses portes. Mais je pense à mon enfant qui s'en vient et à mon indépendance. Je quitte par la force des choses mon emploi régulier et j'achète, avec l'un de mes beaux-frères, un petit restaurant-dépanneur. J'y travaille quotidiennement. Je suis étonnée de voir les gens me reconnaître, parce qu'ils m'ont vue aux *Couche-Tard*.

En ce 2 février 1968, un camionneur que je ne connais pas entre dans mon petit restaurant. Il m'observe. Il attend. Il sent bien que je suis sur le point d'accoucher et qu'il n'y a personne pour m'aider. J'ai peine à cacher la douleur des contractions. Il m'amène à l'hôpital, se fait passer pour le père auprès du personnel et attend jusqu'à quatre heures du matin que tout soit terminé. Comme un vrai père, il s'en retourne chez lui rassuré et heureux. Et moi, j'ai mis au monde mon premier enfant, David de Castello. Je suis très heureuse et je sais déjà que, même si son père en reconnaît la paternité, c'est moi qui en prendrai soin toute sa vie.

Pour commencer, je dois retourner travailler. J'offre mes services un peu partout. C'est le temps où le FLQ est actif. Le bilinguisme devient soudainement très à la mode dans les grandes entreprises anglophones. Un poste est ouvert comme chef de bureau et relationniste au Hilton. Je n'ai pas tout à fait la scolarité requise, mais, qu'à cela ne tienne, je l'aurai cette scolarité. Je suis tellement habituée à me débrouiller depuis que je suis toute petite. Chez nous, j'étais la quatrième d'une famille de huit. Une place inconfortable puisque ma mère ne voulait que trois enfants. Elle me disait souvent, sans aucune méchanceté, qu'après moi elle s'était « habituée ». J'avais aussi appris à travers les branches que ma grand-mère, qui avait assez d'argent et beaucoup d'ascendant sur notre famille, avait fait un arrangement avec ma mère pour qu'elle mène à terme sa grossesse : « Si tu la gardes, j'en prendrai soin. » J'en avais conclu que les trois premiers avaient été désirés et les quatre derniers, acceptés. Moi, j'étais le grain sable dans l'engrenage et je n'avais pas de place.

Pour prendre cette place et me sentir aimée, j'en faisais plus pour impressionner. J'ai passé mon enfance à dire oui à tout ce qu'on me demandait avec le plus de talent possible. Ma devise : « Je suis capable ». La débrouillardise était et est encore, chez moi, une qualité excessive. « Il y a une solution à tout. Il faut la trouver absolument. » Alors, il n'est pas étonnant que, pour réussir le test du Hilton, je souffle ma scolarité et mes références. Heureusement pour eux, il y a aussi des tests d'intelligence et d'aptitude à parler les deux langues. Ce qui leur permet de juger de mes capacités sur-le-champ. Je passe les tests haut la main. J'obtiens le poste. Toutefois, pour être équitable envers mes patrons, mais aussi pour ne pas perdre la face, je suis des cours du soir et je lis de nombreux ouvrages qui portent sur mon nouveau métier.

Amour et showbiz...

Je travaille à cet hôtel pendant un an, jusqu'à ce que je rencontre par hasard Roger Gravel, pianiste que j'ai connu aux *Couche-Tard*. C'est un excellent musicien. Il est le bras droit de Paul de Margerie et est reconnu dans le milieu de la musique comme l'un des grands, à un point tel que les musiciens de jazz se déplacent pour venir l'entendre. C'est aussi un collectionneur, un aventurier constant avec lui-même, qui ne connaît pas la culpabilité. Intelligent et plein d'humour, autodidacte, curieux de tout, il adore les voyages. Bref, il a tout pour plaire ! C'est un coup de foudre mêlé d'admiration.

C'est avec lui que je ferai mon premier voyage en avion. Quel voyage ! J'ai un grave problème : en avion, j'hallucine. Tout le monde devient jaune chinois. J'ai peur d'être folle... Terriblement peur ! D'ailleurs, je refuserai, souvent à la dernière minute, d'aller représenter le Québec ou Radio-Canada dans des festivals de la chanson... En Grèce, en Belgique... Mes voyages, à cette époque, se font en bateau.

J'arrive à la chanson chez la mère supérieure !
Roger travaille maintenant comme pianiste au caba-
ret *Chez Clairette.* Je l'y accompagne souvent. Un soir,
une chanteuse est malade. On me demande de la remplacer. Je chante quelques chansons. C'est là que ma
carrière de chanteuse professionnelle a vraiment dé-
buté, spontanément.

Je chante de plus en plus souvent. Pierre Nolès
veut me faire faire des messages publicitaires. Il me
demande si je sais lire la musique. Quelle sera ma réponse ? « Évidemment que je sais lire ! » Mais la vérité est différente. Ce n'est qu'après avoir commencé
à faire des publicités que j'apprends à lire la musique.
Encore une fois, la petite France débrouillarde a pris
le dessus.

Chapitre 2

PLACE DES ARTS

Critique méchant : mauvaise critique

Roger Gravel, Michel Fauteux, Subirina, Robert Goulet, Roger Lefebvre et moi formons un groupe : *La Cinquième Saison.* Nous décrochons un engagement à la Place des Arts : la première partie du spectacle de Claude Landré. Nous y arriverons bien préparés. Roger et les autres musiciens sont des professionnels dans le plein sens du mot. Les semaines qui précèdent cet événement sont entièrement consacrées à ce spectacle. Nous ne ménageons rien : recherche exhaustive, créativité débordante et répétitions rigoureuses. À nous, le public !

La salle réagit bien et aime beaucoup le spectacle. Les gens du métier nous félicitent avec une sincérité évidente. Mais un critique, qui se sert de sa plume comme d'une épée, pourfend notre spectacle en attaquant spécifiquement ma participation. Malgré les gens qui applaudissent à tout rompre, malgré les éloges de grands du métier comme Dominique Michel, Diane Dufresne et du réalisateur Jean Bissonnette, qui lui aimerait bien casser la gueule à ce petit monsieur, j'encaisse le coup durement. Dès que j'ouvre la bouche pour chanter, c'est le doute qui fait craindre le pire. Et ce doute me minera pendant des années, surtout quand j'aurai le goût d'écrire des paroles ou de la musique. Ce n'est que beaucoup plus tard que j'ai appris (dans notre métier, tout finit par se savoir) que cette critique méchante n'avait pas été imputable à ma performance, mais plutôt au fait que j'avais *cruisé* un jeune homme qui, soi-disant, appartenait à ce petit monsieur. C'est une grande leçon que je retiens. Maintenant, je ne lis pas de critique avant d'assister à un spectacle. J'y arrive sans préjugé et j'en sors satisfaite ou insatisfaite, selon le cas. Et quand c'est un spectacle auquel je participe, je me fie beaucoup plus à la réaction du public qu'aux médias pour mesurer si j'ai joué juste ou non. Mais, après la Place des Arts, je n'arrêterai plus de travailler : chœur ici, solo là, publicité, disque, télévision... tout s'enchaîne.

Scorpions du 15 novembre, abstenez-vous !
Alberto, le père de mon premier enfant, est Scorpion du 15 novembre. Roger Gravel est aussi Scorpion. Et, chose étrange, il est né lui aussi un 15 novembre. Résultat : je deviens enceinte de Benoit, mon second fils. J'accoucherai le 9 avril 1970.

Here I am, Toronto !

Après la naissance de Benoit, ma carrière prend un nouveau tournant. Je suis appelée à être comédienne, danseuse et chanteuse pour neuf émissions de la série *Smash*. Je serai aussi animatrice, comédienne et chanteuse dans vingt-six émissions de *One Of A Kind,* pour la CBC, à Toronto. Puis, ce sera, jusqu'en 1974, *Islanders & Princess, Let's Call The Whole Thing Orff, Anything Goes.* Je voyage beaucoup entre Montréal et Toronto. Je suis choyée. Les producteurs de Toronto ont cette grande qualité de prendre soin de leurs artistes et particulièrement de ceux qui viennent de l'extérieur. Souvent, il est inutile pour nous de retourner au Québec le vendredi si l'on doit retravailler là-bas le lundi suivant. Pour moi qui ne peux prendre l'avion, c'est doublement difficile, le trajet étant trop long par la route. Ma relation avec le père de Benoit a subi quelques accrocs irréparables. Je suis pour ainsi dire libre. Mes enfants sont en sécurité, j'ai une bonne fiable et ma mère n'est pas loin.

Un bon samedi, selon son habitude, le relationniste donne à tous ceux qui séjournent à Toronto le menu des spectacles de la fin de semaine et nous demande ce que nous aimerions faire. Il nous annonce que Miles Davis joue dans une boîte à Toronto. Je décide d'aller l'entendre.

Je suis assise à une table, seule, près de la scène. J'écoute de toute mon âme cette merveilleuse musique qu'est celle de Miles Davis. J'ai les yeux ailleurs, quand je sens un regard se poser sur moi avec insistance. Miles Davis joue pour moi. Pendant tout son concert, il insiste de plus en plus. Je me sens captive de son regard et de sa musique. Puis, il vient me voir et me demande si je n'ai pas d'objection à prendre le dîner avec lui et ses musiciens à la fin de la soirée. Je suis sous le charme. J'accepte. C'est ainsi que, pendant vingt jours – tout le temps de son séjour à Toronto – Miles Davis envoie une voiture me chercher à mon hôtel, tous les jours. Et tous les jours, après mes enregistrements, je le rejoins...

Chapitre 3

L'AMOUR
AVEC UN GRAND D

Dans ma vie, les musiciens occupent une place de choix. Ce sont des êtres qui savent me faire vibrer, avec qui je suis sur la même longueur d'ondes. Ils sont aussi, il me faut bien le voir, une partie de mon père que j'ai aimée beaucoup et qui, encore à cette époque, maintient le reste dans l'oubli.

Je suis à Montréal pour quelque temps. Un je-ne-sais-quoi de vague à l'âme s'installe. Ma relation avec le père de Benoit est terminée. Demeure notre lien professionnel où le respect mutuel est très présent. Ma carrière file comme une étoile en mouvement vers des sommets encore jamais atteints. Mon dernier 45 tours, *Du fil et du coton,* s'est vendu à 100 000 exemplaires. Je chante l'amour comme jamais je ne l'ai chanté. Mais on dirait que l'amour n'est plus le même. J'ai bien une courte aventure avec un autre musicien, le batteur de notre groupe, mais le cœur cherche encore... Est-ce parce que les musiciens font partie de mon métier et que je les côtoie un peu comme des copains ? J'ai du mal maintenant à en voir un avec les yeux inspirants de l'amour.

Ma rencontre du troisième type

Nous avons maintenant un contrat avec une disco-thèque très à la mode, rue Stanley, tenue par un Suisse-français prénommé Dominique.

Tout un personnage ! Ancien professeur de mathé-matiques, il a réalisé très tôt que l'enseignement ne lui apporterait jamais la fortune. Il s'est lancé en affaires et a ouvert, avec Georges Durst, des boîtes qui sont très fréquentées telles que le *Maxwell*, le *Tiffany*, etc.

Il lance des artistes chanteurs, comme Gino Vanelli, et plusieurs peintres. C'est un collectionneur de tableaux. Un être à la fois cultivé et rebelle, qui prend plaisir à faire honte aux snobs. C'est aussi un joueur farouche... Je tombe... oui, je tombe en amour !

C'est le destin qui mène !

Sans le savoir, je suis amoureuse d'un autre Scorpion, et, pis encore, il est lui aussi du 15 novembre. Qu'ar-rivera-t-il ? C'est écrit dans le ciel : il deviendra le père de mon troisième enfant : ma fille, Dominique. Nous vivons, lui et moi, une relation pour le moins très stimulante. Et nous avons bien des points en

commun. Il en est un où nous nous rejoignons particulièrement et qui nous fait passer des nuits blanches.
Non, ce n'est pas toujours la relation amoureuse, mais
bien le jeu, notre seconde passion.

Nous vivons à cent milles à l'heure. Bourreaux
de travail tous les deux, joueurs forcenés, amoureux
fous. Mes journées n'ont pas assez de vingt-quatre
heures. Je travaille encore à Toronto à l'émission
Anything Goes. Je fais des entrevues avec des vedettes
comme Alice Cooper, Fred Astaire, et j'enregistre six
sketches avec Sally Fields, la « sœur volante ».

Jamais deux sans trois

Je suis enceinte et heureuse, tellement heureuse ! Je
suis amoureuse comme je ne l'ai jamais été. Mais je
suis fatiguée. Les séries à Toronto, le va-et-vient, la
vie nocturne à Montréal sont autant de bonnes raisons pour vouloir me reposer avant d'accoucher.

Le beau voyage !

Nous décidons de faire une croisière : la dernière du
paquebot *France.* Après tout, ce paquebot ne s'appelle-
t-il pas France, comme moi ? Nous en avons les
moyens et la folie : une traversée de l'Atlantique magique dans cette ville motorisée. Quel raffinement,
quelle beauté !

Ce paquebot rassemble tout l'art de vivre français : fine gastronomie, parfums délirants, parades de
mode à couper le souffle (et la taille), musique jouée
par les plus grands musiciens. Ce rêve se vit dans un
cadre dont l'architecture pourrait être celle d'un

musée d'art classique ! Dehors, il y a la mer tout autour...

Un passager incognito

Si le voyage a un but « détente et plaisir », il a aussi un but « santé ». Je monte donc sur le pont, tous les après-midi, nourrir mes poumons d'air salin et me baigner de soleil tout en tricotant des « petites pattes » pour mon futur bébé.

Un après-midi où mon compagnon s'est trouvé une table de jeu, je vais m'asseoir sur le pont pour tricoter, comme d'habitude. Non loin, je vois un homme qui me surprend par son allure et par son activité : il a un béret enfoncé sur la tête jusqu'aux oreilles et il fait du tricot. Il ne me semble pas très habile. Quelques petits conseils pratiques lui feraient grand bien... Je m'approche de lui. Son visage m'est familier. Il se présente : Richard Burton. Le célèbre comédien, époux de la non moins célèbre comédienne Elizabeth Taylor, est à bord du *France* et il tricote, sans Liz Taylor.

Il se noue une drôle d'amitié entre Richard et moi. Il m'appelle tous les jours. On se donne rendez-vous sur le pont. Une maille à l'envers, une maille à l'endroit, on jase de tout et de rien et de quelque chose qui nous échappe peut-être encore... l'amour.

Il voyage incognito. Je ne sais pas si Elizabeth Taylor est en tournage ou s'ils sont en rupture. Je ne lui pose pas de questions à cet égard. Entre deux conseils de tricot, je le laisse dire. Tous les jours, nous sommes fidèles au rendez-vous. Nos conversations sont douces, comme entre frère et sœur qui s'entendent bien. Nous nous ressemblons dans nos âmes. Et nous avons tous les deux un trou au cœur.

Il n'y a pas de hasard

C'est un moment où, malgré les apparences, je suis encore moins sûre de moi qu'à l'habitude. J'ai besoin de cette rencontre. Richard est un grand artiste qui, à en croire les journaux, semble avoir tout dans la vie. Mais, au cours de nos séances de tricot, je découvre un être fragile, caché sous cette image de force et d'assurance que donne la célébrité. Je ne suis pas aussi célèbre que lui, loin de là. Mais je me sens vulnérable, comme lui. Et cela me réconforte que quelqu'un de si grand sente la même fragilité que moi.

En échange, lui aussi y trouve son compte. Il apprécie nos petites conversations « anodines » sur les choses graves de la vie. Je le sens même sécurisé par mes opinions qui lui présentent le côté « féminin » des situations et surtout des sentiments. Nous parlons tout simplement et avec sincérité de passion, d'amour, de rupture et de peine d'amour. Et l'on s'y connaît ! Après le voyage, chacun emportera le souvenir de ce qui aura été dit et senti pendant ces heures de franchise, sans jamais tenter de recommuniquer avec l'autre.

Une autre belle rencontre !

Après le souper – je devrais dire le dîner, car, après tout, je suis sur un paquebot français – Dominique et moi marchons sur le pont pour sentir un peu la mer.

Puis, nous nous rendons à l'une des salles où il y a plein d'activités : spectacle, parade de mode, danse, jeu.

En passant devant une porte entrebâillée, j'entends de la très bonne musique. Je ne peux m'empêcher de satisfaire à fond ma curiosité. Nous entrons doucement. À ma grande surprise, Elton John et ses musiciens sont ici. Attirée irrésistiblement par la musique, je chante en duo avec lui. Je chante tant et si bien que, en nous quittant, nous nous disons « à demain soir ». Mon « amour avec un grand D » est ravi. Il pourra jouer avec ses partenaires de cartes en toute tranquillité. Pour le reste, il peut être rassuré : je l'aime.

Pendant le voyage, le soir, je retournerai souvent à cette salle *jamer* quelques moments avec eux. Soutenue par ces musiciens qui ont fait tellement de route, je chanterai du *blues,* de toute mon âme je chanterai du *blues.*

La croisière terminée, je ne reverrai plus jamais Elton John, sauf en spectacle. Mais je conserve ces moments intenses de musique comme autant de cadeaux précieux à mon âme de « blueseuse ». Et je compte ces jours de voyage parmi les plus beaux de ma vie.

Malgré ces belles rencontres originales, le plus extraordinaire, c'est encore le compagnon avec qui je fais ce voyage merveilleux. Je crois que, cette fois-ci, c'est vraiment pour la vie ! Je m'en réjouis.

Mais la vie me réserve tout autre chose...

Chapitre 4

UN ACCOSTAGE TRÈS DIFFICILE !

De retour au pays, la tension monte. Le bonheur s'assombrit, et pour cause : mon partenaire m'a connue en pleine effervescence. En spectacle ou dans une émission, j'étais une chanteuse, animatrice, comédienne et, dans la vie, une « tombeuse ». Je suis maintenant une femme dont la grossesse prend de plus en plus d'importance et qui tricote des « petites pattes ». Pour l'instant, ma carrière m'intéresse moins que l'enfant que je porte. Et mon ventre grossit à vue d'œil. Je change mentalement et physiquement. Mariés ou non, certains hommes ont de la difficulté à être câlins avec la femme qu'ils aiment quand elle est enceinte. Tabou ! C'est d'autant plus difficile à supporter que l'on se voit de plus en plus changer. Et, chez moi, la grossesse crée un changement remarquable. L'image de la vamp s'arrondit... s'arrondit... n'en finit plus de s'arrondir. Et pourtant, j'ai tellement besoin de plus d'amour, de plus de sécurité, pour nous faire un nid douillet et chaleureux, à moi et à l'enfant.

Si j'en crois l'attitude de mon partenaire, c'est plutôt dans un igloo que nous vivrons. Je deviens méfiante. Connaissant son tempérament, j'ai bien peur que mes appréhensions ne prennent la forme d'une autre femme qui n'est pas enceinte. Et, quand je suis confrontée à la trahison, je n'accepte aucun compromis. C'est la séparation. J'élèverai seule ma fille, Dominique. J'ai perdu confiance, je suis humiliée. Je refuse d'aller habiter dans la maison qu'il veut acheter pour nous. C'est tout ou rien. Par la force des choses, c'est « rien ».

La vie à la maison

Je ramène donc ma fille à l'île des Sœurs dans le *townhouse* qui abrite ma petite famille. La maison est grande. Chacun des enfants peut y avoir un coin bien à lui. Ma bonne et, de temps en temps, ma mère en prennent soin comme s'ils étaient à elles. Je peux les leur confier en toute tranquillité quand je m'absente pour le travail. Je sais qu'ils seront bien nourris, bien habillés et qu'elles veilleront sur eux. L'endroit est idéal pour mes enfants. Les espaces verts, le tennis, la piscine sont autant de possibilités d'exercice physique et de jeux pour eux. Mon aîné va déjà à l'école de l'île, située tout près de la maison.

Cette séparation que je vis est un coup dur, très dur pour moi. Je me relance dans le travail. Je retourne peu à Toronto après mon accouchement. Dans le milieu du spectacle, il faut être présent. Le monde oublie vite ou pense que l'on n'est plus disponible. Je ne comprends pas encore ce qui m'arrive, quand je suis amoureuse et que je deviens enceinte. Je coupe souvent les ponts.

On dirait que, pour moi, carrière, amour et maternité ne vont pas ensemble. Je suis souvent au *Liston Audio* du Vieux-Montréal, où Leon Harrinson me fait chanter ses *jingles.* Je fais la comédie musicale *Caroline,* de Gilles Latulippe, au Théâtre des Variétés. Je participe à vingt-six émissions de *Que reste-t-il ?* à Télé-Métropole. Le travail est la seule façon que je connaisse d'oublier. Et j'en ai long à oublier. Je doute qu'il y ait une prochaine fois.

Des doutes qui ne durent pas

En travaillant à Télé-Métropole, je rencontre un jeune musicien brillant, chef d'orchestre extrêmement talentueux, avec un sens de l'humour bien particulier, Daniel. Nos rencontres sont entourées d'étincelles. Sa façon enjouée de prendre la vie, son assurance et sa très grande capacité de créer la musique me fascinent. Et, ce qui ne le désavantage pas du tout, il est beau gars ! Petit à petit, sa présence me fait oublier ma mésaventure amoureuse. Ses idées musicales me charment. Il devient mon compagnon. Nous avons tous les deux des horaires chargés. Entre le travail et son studio et entre mes émissions et les *jingles,* il est souvent chez moi. Un producteur s'intéresse à moi comme chanteuse et comme femme. Je le laisse s'intéresser à la chanteuse, mais, pour ce qui est de la femme, il n'en n'est pas question.

Je suis donc à la recherche de chansons. Je passe le mot. Des auteurs et des compositeurs viennent à la maison me proposer leurs créations. J'écris aussi. Nous travaillons d'arrache-pied à ce microsillon que nous mettrons deux ans à préparer et à produire : *En corps à cœur.*

La chanson À mes enfants

Sur ce microsillon, je veux absolument qu'il y ait une chanson qui s'adresse à mes enfants. Mais cette chanson a ceci de particulier : c'est un testament moral que je laisse au cas où je mourrais. Elle reflète aussi mes préoccupations. Je suis bien consciente que, s'il m'arrive quelque chose maintenant, ils seront dépourvus. Non pas parce que je n'ai pas d'assurance-vie, mais parce qu'il n'y aura vraiment personne pour me remplacer. Dans une famille normale, si l'un des deux conjoints part, l'autre est là pour suppléer. Dans mon cas, ils seront seuls. Il y a bien ma mère, mais reprendre encore une famille au complet... Je ne crois pas que ce soit l'idéal pour elle.

Ma vie est un pendule

On prépare la nouvelle série *Du tac au tac* à Radio-Canada. On m'offre d'y jouer un rôle principal. J'accepte. C'est une émission amusante où je joue un personnage intelligent, et je me sens bien dans sa peau.

Je reprends mon rythme de carrière normal et ce, sans Toronto. Mon disque est lancé, et les ventes vont bien. La carrière marche comme sur des roulettes. Mais ma vie est un pendule qui se balance entre le pôle carrière et le pôle amour. Chaque fois que ma carrière roule très bien, le pendule grince à l'autre pôle : la routine s'est installée entre Daniel et moi. Le charme est rompu. Je ressens le même malaise qu'avec le batteur de *La Cinquième Saison*. De mon côté, l'amour fait place à l'amitié. La complicité amoureuse disparaît. Je le lui dis... C'est la rupture. Est-ce qu'un jour je serai capable de stabilité ? Peut-être jamais.

Le pendule revient au pôle amour

Le pendule est toujours au beau fixe, côté carrière. Justement, c'est trop beau ! Il ne restera pas là longtemps. Chaque fois que j'ai du succès, je m'empresse de tomber en amour, d'être enceinte et de m'absenter du métier. Et, une fois de plus, c'est ce qui m'arrive. Je fais la rencontre d'un jeune médecin de Chicoutimi. C'est le coup de foudre. Il vient me voir en avion, les fins de semaine. Et commencent les jeux de l'attente et du désir. Nous voulons vivre ensemble. Son bureau est là-bas. Sa clientèle ne fera certainement pas le trajet Chicoutimi-Montréal pour venir le voir. Qu'à cela ne tienne, je suis en amour. J'irai vivre avec lui à Chicoutimi avec ma petite famille. Nous décidons de nous marier.

Je quitte Montréal, le *showbiz* et la vie nocturne, avec toute ma famille. Nous vivrons dorénavant à Chicoutimi. En devenant la femme de ce médecin, je

crois pouvoir assumer la vie d'un bonheur serein, stable, et cette union me semble bénéfique pour mes enfants. Je déculpabilise ainsi la mère et l'artiste que je
suis : la mère, parce que mes enfants ont maintenant
un foyer normal ; l'artiste, parce que j'y trouve une
excuse de quitter Montréal, d'abandonner l'émission
Du tac au tac à Radio-Canada et la promotion de mon
disque. C'est comme si une partie de moi disait oui
au succès et une autre lui disait non. Une France qui
veut réussir dans le métier et l'autre, non. Et, en même
temps, chose étrange, seul l'amour me donne le droit
de refuser le succès dans ma carrière. Je deviens enceinte, évidemment !

J'attends mon quatrième enfant. Celui qui occupera le même rang que le mien dans ma famille, chez
mes parents. Il est attendu. Il aura sa place... Je ne
vais pas très bien. À mon insu, la vie trépidante me
manque. Je me retrouve souvent dans les boutiques
du centre commercial. J'achète. Je compense. Et c'est
justement en magasinant que je reçois comme un coup
d'épée au ventre : je fais une hémorragie. On me trans-
porte à l'hôpital où l'on diagnostique une grossesse
ectopique. On doit m'opérer de toute urgence. Le
fœtus est mort. Il n'y aura pas d'enfant à la quatrième
place. Étrangement, cela confirme la croyance profonde que j'ai : je n'ai pas le droit d'avoir des enfants
étant mariée. Je n'ai eu d'enfants vivants qu'en dehors du mariage. C'est comme si la stabilité n'était
pas faite pour moi, ou vice versa.

Ma mère vient habiter avec nous.

Nous avons acheté une grande maison. Il y a même un espace pour bâtir à ma mère un deux pièces et demi, à part, dans la maison. Nous sommes heureux de l'accueillir chez nous. Une grand-maman, c'est une présence rassurante pour les enfants. Elle n'a jamais porté de jugement sur ma vie professionnelle ou amoureuse. Fidèle à elle-même, elle ne critique pas non plus ma façon de mener ma maison. Le peu de fois où je vais tourner des messages publicitaires à Montréal, elle demeure à la maison et prend soin des enfants. Elle est heureuse de vivre avec nous. Cela lui permettrait-il de voir de plus près si sa fille va aussi bien qu'elle le dit ?

L'opération, doublée de la perte de mon enfant, crée chez moi une espèce de choc. Je commence une psychanalyse. Selon la psychologie, je suis un sujet sain, mais névrosé. Au premier abord, j'essaie de persuader mon thérapeute que mon métier ne me manque pas. Mais je somatise très souvent. Je me découvre toutes sortes de malaises imprécis et éprouvants.

Je fais de l'angoisse. J'essaie de compenser par toutes sortes d'activités, le magasinage en particulier.

Finalement, je découvre que mon métier me manque, que ma vie affective flanche tout le temps et que je suis incapable de mener une vie stable. Je réalise par le fait même que je ne suis plus amoureuse de l'homme que j'ai épousé il y a deux ans. Je me dois de retourner à Montréal. Je n'ai pratiquement pas travaillé depuis deux ans. Je n'ai plus un sou à moi. Je m'empresse d'accepter un contrat que Pierre Calvé m'offre à la boîte à chansons du *Méridien :* un spectacle d'une heure et demie pendant deux semaines. Le succès est tel que Pierre regrette de ne pas m'avoir fait signer pour trois semaines, et Gilles Richer me propose de jouer dans sa comédie musicale *Je m'sens drôle,* au Théâtre Saint-Sauveur, l'été prochain. D'ici là, je jouerai dans *La Vénus d'Emilio,* de Jean Barbeau.

Saint-Sauveur – 31 août

C'est mon anniversaire de naissance. Je suis sur scène, je chante. Soudain une tristesse profonde m'envahit. Le malaise est tellement fort que ma voix s'éteint. C'est la panique. Je termine la pièce tant bien que mal. En sortant, je suis demandée au téléphone. Mon frère Jean-Pierre est mort sur le coup. Un accident... À l'heure même où j'ai eu mon malaise... Quel chagrin... Quelle souffrance... Quelle absence !

Moi, à huit mois.

Voici la famille Bégin, presque complète.
Il n'y manque que Lucie, la cadette. Elle n'est pas encore née.

Ma sœur, Hélène (à droite), et moi.
Nous avons un an et demi de différence d'âge.

Avec Johanne Cadorette, mon amie,
au couvent de Saint-Gabriel-de-Brandon.

Dernière photo des Bégin, à Sherbrooke.
Lucie est maintenant avec nous. Ma sœur Diane et moi,
adolescentes, sommes durement éprouvées par les feux sauvages.

Portrait de la mariée, seule ; j'ai quinze ans et demi.

Ici, j'ai dix-huit ans.

Francine Bégin, secrétaire.

« Miss Couche-Tard » 1967.

Ma première photo à titre de chanteuse.

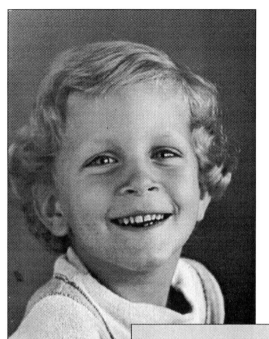

Mon premier enfant, David.

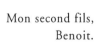

Mon second fils, Benoit.

Le groupe *La Cinquième Saison*.

Toronto, 1972.

Imitation de Dalida, à Montréal.

Encore à Toronto, cette
fois en 1973.

Au Mexique,
avec Dominique.

Toronto, 1974.

Ma fille, Dominique.

1975 : L'Année de la femme !

À l'émission *Que reste-t-il ?*
à Télé-Métropole.

De retour à l'île des Sœurs,
avec ma fille.

Pochette du microsillon de 1977, recto (en haut) et verso.

Une scène de *Du tac au tac*, à Radio-Canada.

Second mariage.

À Chicoutimi, avec mes trois enfants.

Chapitre 5

MA RENCONTRE AVEC LA *COKE*

De retour à Montréal, je recommence à travailler assez rapidement. Au bout de deux ans, je suis engagée pour tenir le rôle de Stella Spotlight dans *Starmania,* de Berger et Plamondon. Une production extrêmement exigeante : cent cinq représentations au Québec.

Le metteur en scène, Olivier Reichenbach, a la brillante idée de me faire monter un escalier de métal, comme on en voit dans les ruelles. J'ai peur des hauteurs. J'ai le vertige depuis mon enfance. Dans une scène où je suis juchée sur des talons très hauts, je dois rejoindre le *businessman* tout en haut de cet escalier. J'ai peur à chaque représentation. L'angoisse de ne pas être capable de m'y rendre s'installe dès que le spectacle commence. Et tous les soirs, jour après jour et même deux fois certains jours, je gravis cet escalier. Il faut que j'aie l'air à mon aise en plus. Cela me ressemble : avoir l'air à l'aise et être en train de mourir en dedans.

Chère coke !

Après *Starmania*, ou vers la fin de la série de représentations, une artiste très connue me parle de *coke* et m'invite à faire une prise. Je résiste. J'ai peur. Je dis non, non, non, non. Comme si, intérieurement, je savais que j'allais aimer ça. Et quand j'aime quelque chose ou quelqu'un... assez n'est jamais assez ! Les autres drogues ne m'attirent pas. Elles me donnent la sensation de ne pas savoir où je suis, et je n'aime pas perdre conscience. Je ne supporte pas plus l'alcool : je prends un verre et je suis soûle. Mais la *coke* me donnera l'impression d'une lucidité, d'une vision transparente des êtres et des choses : illusion !

Je vis mon adolescence à 35 ans !

Je sens le danger. Mais j'en prends pour faire comme tout le monde... Au début, je vais jusqu'à faire semblant de priser, en tenant, en guise de paille, un billet de banque roulé dans la main droite tout en cachant ma main gauche qui éparpille la *coke* vers le plancher. C'est tout un sport que d'essayer de ne pas déplaire aux autres, de s'ajuster. C'est la petite France qui suit ce *pattern* depuis tellement longtemps qu'elle ne peut pas faire autre chose pour qu'on l'accepte, pour qu'on l'aime. Tout ça pour sentir qu'elle fait partie de la bande, comme ces adolescentes de quinze ans qui, elles, ne sont habituellement pas mariées à cet âge. Elles prennent leur première bière, du *pot* ou autre chose, pour faire comme leurs *chums* et se sentir avec eux.

D'ailleurs, à cette époque, ce n'est pas le seul point de ressemblance que j'ai avec les filles de quinze ans. Quand on entre dans l'adolescence, on met en doute le conditionnement que l'on a reçu de ses parents. On n'agit plus conformément à ce qu'on attend de nous. Petit à petit, la révolte s'installe et le moyen qu'on trouve de s'affirmer est souvent de répondre « non » à ceux à qui on a toujours dit « oui », pour ensuite suivre sa propre route tant bien que mal. C'est ce que je fais et ferai de plus en plus, jusqu'à l'excès. Mais il y a autre chose. Je ne sais pas si c'est cette psychanalyse commencée à Chicoutimi qui a ouvert des tiroirs dans mes mémoires oubliées, mais je sens que j'ai l'enfance au bord des lèvres.

J'achète ma première petite enveloppe...

Dès ma première expérience de la *coke,* j'achète ma petite enveloppe. J'en conserverai toujours une sur moi, dans mon soutien-gorge, comme si c'était un fétiche protecteur. Je n'en fais pas tellement... deux fois par semaine. Et je n'en ai plus peur. Au contraire, la *coke* crée chez moi une espèce de sécurité étonnante. Insidieusement, une étrange relation affective fusionnelle se développe doucement entre la drogue et moi : toujours avec moi, dans son petit sac, « maman *coke* » veille...

C'est ainsi que s'écoule une année bienheureuse pendant laquelle je ne prends pas de *coke* en travaillant, mais seulement après, pour me récompenser... J'habite une maison confortable, bâtie par un Italien de Rosemont. J'honore mon loyer et toutes les obligations financières d'un chef de famille qui a trois enfants. À cette époque, ma mère est présente. Elle fait même office de comptable. Je réussis à amasser un peu d'argent.

Je suis déjà dans l'engrenage...
Toutefois, d'occasion en occasion, de *party* en *party,* même à la maison, les quantités augmentent. J'appelle ça « prendre soin de moi ». Le soir, je couche mes enfants. Je fais tout ce que j'ai à faire. Puis, je fais une première ligne, et les idées commencent à fuser. J'écris. J'ai l'impression de vivre intensément. J'ai la ferme conviction que la *coke* m'aide à fonctionner. Je fais *Starmania.* Ma carrière remonte. Je refais du disque. Je prends de plus en plus de *coke.* Et l'argent que j'avais économisé sous la surveillance de ma mère s'évanouit. Mais je travaille... Je ne suis pas en manque, puisque je suis en demande... J'ai encore l'illusion de bien fonctionner.

La valse des déménagements commence
Je suis à Rosemont depuis deux ans. Je me sens isolée de mes amis du métier. Je veux habiter Outremont. Pressée d'emménager, je signe un bail sans trop me poser de questions. Le papier en main, je constate que mes meubles ne passent pas dans les portes. Impossi-

ble d'emménager. Je veux résilier le bail. La proprio
ne veut pas lâcher le morceau et me réclame trois mois
de loyer. J'oublie la propriétaire et je signe vivement
un autre bail, dont les mensualités sont trop élevées
pour mes moyens : j'habite maintenant chemin de la
Côte-Sainte-Catherine. Je suis bien loin de la France,
secrétaire, capable de faire face à ses fins de mois avec
son petit salaire. Mais j'ai toujours l'impression d'être
invincible... Cette maison est immense, difficile à
soutenir. Le propriétaire croit que je suis très riche.
Je ne fais rien pour lui enlever ses illusions. Mais j'ai
maintenant une comptable qui administre mes affaires. Elle a tiré bien des artistes de l'impasse financière, et je m'attends à ce qu'elle fasse la même chose
pour moi. Elle conserve mon carnet de chèques, prépare mes paiements des affaires courantes et me donne
mon argent de poche.

Nous avons un problème sérieux, elle et moi : je
trouve que je n'ai pas assez d'argent. Elle trouve qu'elle
m'en donne assez pour les dépenses que j'ai : « Il faut
que tu te serres la ceinture si tu veux te renflouer. »
Comment répondre à ça ? C'est difficile, infaisable
même, de dire à sa comptable : « Sais-tu... J'aurais
besoin de cinq cents ou mille dollars de plus pour ma
coke ». Alors, pendant qu'elle a le nez dans ses dossiers, je me vole des chèques et je crois lui jouer un
tour. Notre collaboration dure le temps qu'elle doit durer. Je reprends le « contrôle » de toutes mes affaires.

Mon deuxième déménagement

Après un an sur le chemin de la Côte-Sainte-Catherine, je déménage au coin de Wiseman et Lajoie dans ce que je crois être la maison du bonheur. Une immense maison avec la lumière qui entre partout ! Au sous-sol : la cuisine et une immense salle de séjour où j'installe mon piano, mes papiers à musique. Au rez-de-chaussée : toutes les chambres, un vivoir et un salon que je transforme en chambre des maîtres. Des « maîtres », c'est beaucoup dire : pour l'instant, je vis seule. J'ai bien, de temps en temps, des soubresauts affectifs, mais ce sont plutôt des compagnons de jeux et de *coke.*

Les enfants sont confortablement installés, et la bonne leur prépare de bons repas. Je travaille encore ferme. Et la *coke* m'accompagne partout. J'en ai maintenant besoin en coulisses. Les *pushers* se disputent l'honneur d'être parmi mes fournisseurs et viennent me faire priser leurs meilleurs échantillons. Je me sens valorisée.

Je ne crois plus à l'amour

Je rencontre un auteur-metteur en scène. Nous nous lions d'amitié. Je ne veux pas d'une relation amoureuse. Je ne suis plus capable d'aimer. Plus capable de croire à l'amour. Je suis déjà assez enfoncée dans la drogue. Mais il est l'un des premiers hommes avec qui je parle librement, sans censure. Avec les autres, j'ai toujours eu une espèce de censure, un petit coin à moi où il était interdit d'entrer. Je n'arrivais pas à m'ouvrir, à me livrer. Je m'ajustais. Tandis qu'avec lui, je suis capable de commencer à dire. Est-ce à cause de la *coke,* réputée pour délier la langue et dans laquelle je m'enfonce de plus en plus, ou parce qu'il est plus ouvert que les autres hommes ? C'est probablement pour ces deux raisons que, petit à petit, l'amitié fait place à l'amour.

Amour et coke... *dommage !*

Cet amour est extrêmement important et positif. Et, par hasard, ce sera l'homme avec qui je resterai le plus longtemps : quatre ans et demi. Mais, en même temps, cette relation sera extrêmement destructrice sur bien des plans. Je sais qu'il m'aime. J'ai le droit de le manipuler. Il a le droit de me manipuler. Nous nous donnons cette liberté. Nous avons aussi le droit de savoir pourquoi nous sommes dépendants l'un de l'autre. C'est un créateur capable de prendre des risques, mais aussi blessé profondément par la vie : un être complexe, en manque d'amour d'enfance, qui vit comme moi avec ce trou béant qu'il espère combler.

.

Chapitre 6

RADIO-CANADA PREND UN GROS RISQUE !

Nous sommes en 1983. Radio-Canada est à la recherche d'une animatrice pour l'émission de l'après-midi : une émission dans la lignée de *Femme d'aujourd'hui,* mais différente. On m'appelle, sans savoir dans quel état je suis, et on m'offre un contrat d'animation. J'ai peur, mais j'ai un très grand besoin d'argent. J'accepte un essai de trois mois. Nathalie Pétrowski écrit un article sur moi et annonce mon arrivée à Radio-Canada comme celle d'une « rock 'n' rolleuse ». Soupçonne-t-elle jusqu'à quel point elle dit vrai ? J'en doute ! Elle ne verra pas ce qui se passera dans ma loge. Tous les jeudis, jours de paie, c'est l'apparition des *pushers* à qui je règle ma consommation de la semaine précédente. Pendant la préparation de l'émission, le maquillage, les réunions de production, je dois constamment m'excuser de mes allées et venues aux toilettes. Je vais y priser tellement souvent que je suis obligée de leur raconter que je fais une cystite.

À la maison, c'est pire. Je passe des nuits blanches à « *coker* ». Tous les matins, ma gérante doit me tirer du coma dans lequel je me suis enfoncée. Elle me met une tasse de café dans une main (quand je peux la tenir) et, dans la bouche, une rôtie couverte de beurre d'arachide qu'elle pousse avec son doigt sur ma langue pour me forcer à mâcher. Tous les matins, je dois être à la réunion de préproduction à neuf heures, puis c'est le maquillage, l'enregistrement de l'émission. Après, je m'en retourne chez moi avec le script que je dois apprendre pour l'émission du lendemain. La nuit, je fais de la *coke*. C'est le même horaire, cinq jours par semaine. Je meurs...

Bye bye, France !

En plus, au mois de décembre, commencent les répétitions du *Bye Bye,* que je me suis aussi engagée à faire. Ma gérante demande qu'on installe un lit dans ma loge, pour que je puisse me reposer. À Radio-Canada, ce sont les gardes de sécurité qui ouvrent et ferment les loges. Mais ma gérante réclame la clé de la mienne, et nous l'obtenons, à mon grand soulagement, parce que j'éprouve beaucoup de paranoïa avec ce que je traîne dans mon sac. J'éprouve aussi beaucoup de culpabilité, que j'étouffe en m'enfilant dans le nez des quantités faramineuses de poudre.

Christine Olivier : une entrevue pénible

Mais ce sentiment est ravivé par une entrevue que je dois faire avec Christine Olivier, l'auteure de *Les enfants de Jocaste*. Selon l'histoire de l'Antiquité, Jocaste est la femme de Laïos, roi de Thèbes, dont elle a eu un fils, Œdipe. Un oracle prédit à Laïos qu'un jour il serait tué par son fils et que celui-ci épouserait la reine Jocaste, sa mère, dont il aurait deux enfants. Christine Olivier fait, dans son livre, une analyse approfondie de ce mythe et explique les répercussions du comportement des parents sur les enfants. Il n'en faut pas plus pour créer chez moi une détresse sans fond. Je regarde cent fois mes notes d'entrevue, cent fois c'est le trou de mémoire. Je voudrais me sauver. Quand ma gérante vient me dire que Christine Olivier est arrivée et que je dois répéter l'entrevue avec elle, je suis accroupie en position fœtale au fond de ma loge. J'ai peur qu'elle ne voie tout ce que je vis.

Inutile de vous dire qu'après ces trois mois, je ne renouvelle pas mon contrat. Je reprends ma liberté. C'est du moins l'impression que j'ai à ce moment-là. Mais, en vérité, « liberté » est un bien grand mot. Je devrais plutôt dire : je suis complètement dominée par la *coke* et je souffre le martyre de ne pas pouvoir en prendre librement.

La grande illusion.

Mon excuse est toute simple. Je veux être libre pour créer avec mon *chum*. Je suis au septième ciel : enfin, avec lui, je peux écrire librement. Nous commençons la création d'une dramatique musicale. Nous passons des nuits à priser, à penser, à inventer. Côté vie, je suis en enfer. Nous dépensons plein d'argent dans cette comédie musicale, autant pour notre nez que pour le studio. Nous enregistrons les chansons sans compter les heures de studio : la *coke* nous fait perdre la notion du temps. L'argent commence à manquer sérieusement. Je me sens coupable face à mes enfants. Un seul des trois pères me donne une pension alimentaire. Je l'ai mise dans un compte en banque que je ne touche pas. Un jour où je suis plus « gelée » que d'habitude, croyant avoir encore les moyens d'être orgueilleuse, je dis au père : « Tiens, toi ! » Et je lui rends toute la pension qu'il m'a versée. Une chance qu'il n'a aucun problème d'alcool ni de drogue : il met tout l'argent dans un compte au nom de notre fille. Étant donc le seul pourvoyeur de mes enfants, je me fais un devoir de faire l'inventaire de tout ce que j'ai et de le vendre : bijoux, tableaux, etc.

Les gens croient que j'ai gagné le million...

Je retire l'argent de la caisse de retraite de l'Union des artistes. Le bruit court que j'ai gagné à la loterie. Je laisse courir... C'est pratique pour ma crédibilité financière. Mais la réalité est bien différente : les contrats qui me restent sont tous donnés en garantie, soit à une banque, soit à des relations prêteuses, soit chez mes *pushers*.

Je suis évincée de la « maison du bonheur »

Cette maison qu'il y a quelques années à peine j'appelais la maison du bonheur est devenue la maison de mon malheur. Je suis sous l'emprise de la poudre. Pour la payer, je n'ai plus d'objets de valeur à vendre. Le peu d'argent que je fais sert en presque totalité à acheter de la *coke*.

Je néglige toutes mes obligations, même les plus élémentaires. Je cumule des mois de loyer impayé. Je ne paie plus ma bonne. Je n'ai pas d'argent pour la rentrée scolaire. Je suis en manque de *coke*. Ma vie est un non-sens. Il faut que j'arrête de consommer. J'essaie : je pars à la mer pour huit jours. Je n'en prends pas du tout. Je suis fière de moi. J'exulte. Une nouvelle vie s'annonce...

Mon premier bas-fond

En arrivant, je vois mon logement occupé par des huissiers, et mes meubles sont sur le trottoir. Je vis la honte, la rage, le désespoir. Je m'enferme dans ma chambre. Je ne veux pas sortir. J'appelle Christiane, ma gérante. Elle vient me rejoindre. Quand elle entre dans ma chambre, je lui saute dans les bras. Je me cache. Je ne veux pas la lâcher. Je pleure. Je m'accroche à elle, comme une noyée à sa bouée. Moi qui, grâce à la *coke,* étais tellement invulnérable, tellement au-dessus de tout. Jamais je n'aurais pensé que cela pouvait m'arriver. J'ai le sentiment d'être violée. J'ai honte. Les voisins regardent. Il ne faut pas que cela se sache... surtout pas par les journaux de vedettes ou par les grands quotidiens.

Mon troisième déménagement

Pour ne pas voir en titre à la une d'un journal « France Castel évincée de sa maison », nous prenons rapidement une décision : trouver un logement aujourd'hui même dans le quartier et y déménager à l'instant. Elle s'occupera d'en défrayer les coûts. L'espoir renaît et me donne la force de jouer une fois encore le rôle de la réussite. Je me maquille pour effacer les traces des larmes et des nuits blanches. Je m'habille avec l'une des dernières belles robes qu'il me reste et je pars avec un ami à la recherche rapide d'un logement, qu'il me faut à tout prix. Ma gérante reste avec les enfants : la Protection de la jeunesse est aussi dans la maison, en même temps que les huissiers. Mon *chum,* lui, est parti de son côté en quête d'argent. Sa recherche s'avérera infructueuse.

La maison de l'enfer

Je déménage donc le jour même, dans un logement du même quartier, Outremont. Le montant du loyer est élevé. Mais il faut ce qu'il faut. Je rends plutôt grâce au ciel d'en avoir trouvé un si rapidement. Et nous emménageons tous dans cette nouvelle maison, les enfants et moi. Après toutes ces émotions, je me procure de la *coke* et je fais une, deux, trois, quatre lignes le soir même. Je rage. Je me déçois. Je me venge de moi. Je sais ce que je fais, mais je ne suis pas capable de m'empêcher de le faire.

Mes premières grosses gaffes

Je vis maintenant à la chandelle, parce que je n'ai pas d'argent pour payer mon compte d'électricité. Ma maison est ouverte à des gens de tout acabit. Le centre de ma vie est maintenant la *coke*, autour de laquelle tournent toutes mes préoccupations et mes activités. Je ne paie pas mon loyer. Il n'y a plus de nourriture dans le réfrigérateur. Quand il faut payer à tout prix, je paie avec des chèques sans provision. Les plaintes contre moi s'accumulent. Mon propriétaire me poursuit à la Régie du logement, mes *pushers* sont très mécontents et la police se questionne fortement à mon sujet. Je passe en cour... Je suis complètement folle. Et je continue à prendre de la *coke*. Je n'admets pas ma dépendance. Malgré tout ce qui m'arrive, je dis souvent : « Je n'ai pas de problème avec la *coke,* j'en ai juste un quand j'en manque ! » Je ne veux pas croire que je suis au bout du chemin. Et je ne le croirai pas tant que je n'aurai pas traversé de l'autre côté du miroir.

Les gens du métier ne m'appellent plus beaucoup. Ils ont trop peur des mes retards et de mes absences et, avouons-le, du « nouveau genre » qu'ont maintenant mes apparitions en public. Il ne reste plus grand-chose de mes rêves... Mon dernier soubresaut de conscience et d'amour véritables est le geste que je m'apprête à poser pour ma fille...

Chapitre 7

JE PERDS MA FILLE

Ma fille que j'aime tellement ne doit plus vivre dans cette maison infernale. Je suis incapable d'arrêter ma course vertigineuse vers le gouffre. Son père a une autre femme dans sa vie et une autre enfant. Il vient chercher ma petite. Il l'amène chez lui en Floride. « Elle aura une maison décente et une famille convenable. » J'ai beau me répéter toutes ces belles phrases, je sais que je la perds et je ne sais pas si c'est pour toujours. Elle a neuf ans. C'est le grand déchirement. La vieille blessure qui s'ouvre. Sans en être consciente alors, je lui fais ce qu'on m'a fait. Elle me manquera longtemps.

Un quatrième déménagement

En perdant ma fille, c'est comme si je n'avais plus de garde-fou. Aucune raison pour garder ma raison. Mes fils se débrouillent tant bien que mal, mais se débrouillent. La relation entre mon ami et moi n'est plus ce qu'elle était. Mon propriétaire porte encore plainte contre moi à la Régie du logement.

Cette fois, c'est pour dommages à sa maison, et toujours loyers impayés, etc. Nous quittons les lieux en douce, avec ce que nous pouvons. Nous laissons derrière nous ce qu'il nous est impossible d'emporter.

Je me prends pour une godmother !

Nous sommes maintenant sur McEachran, toujours à Outremont. Cette fois-ci, je partage le logement avec un couple ami. Il y a une grande chambre à coucher, une salle de séjour, une cuisine et une petite chambre pour mes fils, David et Benoit. Je dors sur le divan-lit quand le couple est là. Ma fille est toujours avec son père. Mon ami n'est plus là.

Il y a de tout chez moi. Des *bums* de différentes *gangs,* un ex-détenu qui fait le commerce de drogues. Les *bums,* je les aime. Il n'y a pas un *pusher* qui, à l'intérieur de moi, ne me semble pas un ami. D'ailleurs, pendant ma thérapie, je vivrai une grosse peine en constatant qu'il n'y avait pas d'amis... Mais, à ce moment-là, je les vois comme des amis, des marginaux qui prennent leurs risques. Je ne connais que des revendeurs corrects... Des personnes qui négocient leurs affaires entre eux. Et j'ai une certaine forme de fidélité avec ces gens-là. Ils viennent souvent chez moi.

Nous passons de longues soirées ensemble à parler âme, famille, vieillards... J'aime leur compagnie. D'ailleurs, je ne pourrais pas continuer à me croire pendant si longtemps en pensant que je fais affaire avec des rats. D'une certaine façon, les valoriser me permet, à moi, de justifier ma consommation. Cela m'évite aussi d'être livrée à moi-même, d'être vraiment seule. Ce que je suis dans le fond...

On se méprend sur les *pushers*. On ne les rencontre pas nécessairement dans les brasseries : il y en a partout. Et c'est assez étonnant de voir à quel point ceux qui ne font pas de drogue sont corrects comparativement à ceux qui deviennent eux-mêmes dépendants. Tôt ou tard, la drogue étant ce qu'elle est, ils agissent exactement comme leurs clients. Tout le monde fait des « passes » à tout le monde.

Mes idoles !

Le jour, j'écoute des disques de Janis Joplin... Édith Piaf... Et je pense à Marilyn Monroe... Mes sœurs de cœur. Janis, la délinquante qui chantait avec son Bloody Caesar ou son Pink Lady, se piquait à tour de bras et ne se gênait pas pour dire au monde « F... you ! ». La Piaf, cette grande amoureuse, véritable passionnée de l'amour qui revivait à chaque fois le grand amour, se droguait, elle aussi, et présentait au monde entier avec fierté son jeune amant, Théo, qu'elle épousait. La beauté du scandale ! Et Marilyn... La belle Marilyn, le *sex symbol* de cinq pieds et quatre pouces et qui pesait cent vingt-huit livres... souffrant justement d'être perçue seulement comme un corps et recherchant l'amour d'intellectuels comme l'écrivain Arthur Miller ou de célébrités du showbiz ou de la politique.

Le vent tourne mal…
Première étape vers le rétablissement

Je suis sans le sou. Je n'ai rien à manger. Au rez-de-chaussée de l'immeuble où je demeure maintenant, il y a un petit restaurant où l'on sert les trois repas. Pour être capable de manger et de nourrir David et Benoit, je fais une entente avec le restaurateur : je me lève à six heures tous les matins pour y passer la vadrouille et je lave les chaudrons. Mais cela ne suffit pas. De l'autre côté de la rue : une banque. Je passe mes journées à imaginer comment je pourrais la dévaliser. J'observe. Je fais des plans, tous plus farfelus ou plus déments les uns que les autres. J'abandonne et je finis par aller quêter un bon d'épicerie de quarante dollars dans un presbytère. Je me rends à l'épicerie, la même où j'allais quand j'avais de l'argent. J'arrive à la porte, mon cœur bat fort dans sa cage. J'entre. On m'observe. Je porte de grosses lunettes noires. Je sais qu'on me reconnaît et que je leur ai déjà fait quelques coups. On doit se demander avec quelle monnaie de singe je paierai. Je fais quand même le tour et choisis des aliments nourrissants. J'ai faim et mes enfants aussi. J'arrive à la caisse. Je présente mon bon du presbytère pour payer la commande. Personne ne dit mot. L'air est lourd. Je prends mes sacs et je sors. Quelle misère ! La leçon est dure.

Et le désordre continue !

Je consomme de plus en plus, j'ai de moins en moins les pieds sur terre... Je rencontre Michel Forget sur la rue. Je l'aborde en lui disant : « Mais je vous connais, vous, monsieur ! » Michel est abasourdi. « Ce n'est pas possible ! » Et pour cause : j'ai déjà joué souvent avec Michel dans l'émission *Du tac au tac* à Radio-Canada et dans un théâtre d'été dans les Laurentides pendant toute une saison. Je le connais assez bien pour l'avoir invité à mon mariage. Mais, ce jour-là, je suis tellement « faite » que mes yeux ne reconnaissent plus ce qu'ils voient, et mon cerveau ne vaut pas cher le gramme.

J'ai peur !

Toujours parce que je cherche désespérément de la *dope,* je fréquente des gens qui, eux, ne rient pas avec les comptes. Et comme j'ai joué avec leur marchandise et que, en plus, j'ai fait des promesses, ils veulent que je les tienne. Je ne sais plus quoi faire. Je suis à bout. Il y a deux *gangs* qui me cherchent. Je vais être coincée. Je n'ai plus un sou. J'appelle mon ex-gérante, Christiane, qui est aussi une grande amie, et je lui demande : « T'aurais pas un vingt à me prêter ? » « Oui. Si tu veux venir le chercher, ça me fait plaisir de te le prêter. » Je ne veux pas me montrer, je suis à pied. Il y a longtemps que mon auto a été saisie. Je lui dis : « Peux-tu me l'envoyer par taxi ? » Elle répond : « Je n'ai pas beaucoup de liquide sur moi, j'ai vingt-deux dollars. Il va falloir que tu paies le taxi avec le vingt que je t'envoie. » Je vais à son bureau à pied.

Je suis devant elle. J'ai sur le nez des lunettes de soleil immenses qui cachent les trois quarts de mon visage. J'ai peur et je suis en manque. Elle me prête le vingt en me disant : « As-tu besoin d'aide ? » Je ne dis rien, mais je sens couler une grosse larme sur ma joue. Elle reprend : « Tu sais, si tu veux entrer à la Maisonnée d'Oka, je pourrais appeler Paulette Guinois... Je suis sûre qu'elle te trouverait une place. » Je dis oui. Je dis oui parce que jai peur et que je pourrai être à l'abri pendant trois semaines... reposer ma tête et mon corps... Mais je demande un sursis. Je veux rentrer dimanche, et c'est jeudi. J'ai quatre jours... Je réapparaîtrai sur la rue McEachran le samedi, la veille de ma rentrée.

Ce jour là, Christiane arrive à la maison. Elle m'annonce qu'elle dort ici ce soir. Pour être plus sûre que je ne me sauve pas, elle installe le divan sur lequel elle couchera en travers de ma porte. Il faut que je lui passe littéralement sur le corps si je veux sortir. Le soir, nous soupons ensemble. Il y a beaucoup de monde dans la maison. Nous prenons un verre. J'ai encore de la *coke*. Puis, finalement, les visiteurs s'en vont, et tout le monde se couche.

Mais le lendemain matin, je n'ai plus de *dope*. Je panique. Je veux en avoir. Paulette avait dit : « Qu'elle entre à la Maisonnée dans n'importe quel état, mais qu'elle entre, elle est en train de mourir... ». Je fais le tour des vendeurs par téléphone : tout le monde est en attente. Personne ne peut en fournir. Je tremble. Je fais mes valises.

Nous partons vers Oka. Dans l'auto, je me sens comme une pensionnaire qui entre au couvent, seule avec ma peur de ce qui s'en vient. Quand nous arrivons, Paulette nous reçoit. Elle est accueillante, chaleureuse. J'ai confiance. Je rencontre les autres résidents en sevrage. Que des hommes ou presque. Nous sommes seulement deux filles.

La thérapie

Quand on va en thérapie, on répète souvent ce qu'on a toujours fait. Depuis mon enfance, je n'ai pas le droit d'avoir le « visage long ». Alors, je fais en thérapie ce que j'ai toujours fait : je m'ajuste. Je pleure en cachette, mais, avec les autres, je joue au sauveur, je les aide. Je me sauve de moi, de mes vrais problèmes et de ma guérison.

Qu'est-ce que l'honnêteté ?

Je sors de la Maisonnée avec la certitude que l'honnêteté, c'est de ne plus faire de faux chèques. De ne plus faire de « passe ». J'y suis entrée parce que je n'avais plus de ressources avec tous les mensonges que j'avais racontés et toutes mes histoires d'argent. Et j'en sors avec quand même une certaine compréhension : je prenais trop de *dope* et je dois maintenant payer mes dettes. Je reste sobre pendant environ quatre mois.

J'ai dit que, en thérapie, je n'avais pas travaillé sur mon vrai problème émotif. J'ai préféré m'occuper des autres. Je continue en sortant : ma première préoccupation n'est pas orientée sur moi, mais sur ceux à qui je dois payer mes dettes. Au lieu de m'éloigner pour me raplomber, je reste dans le milieu pour travailler et pour payer. Certaines de ces dettes ont été contractées envers du monde de la drogue. Je suis donc obligée de faire affaire avec eux. Tant que je « roulais » et que je consommais, on m'avançait tout ce que je voulais. Mais, maintenant, c'est bien différent.

Chapitre 8

UNE RECHUTE DÉSASTREUSE

Depuis que je ne « roule » plus et que je ne consomme plus, personne ne m'avance rien... Jour après jour, tous mes mensonges remontent. Je suis seule, extrêmement seule. Je fais fuir bien du monde. Comment m'en sortir ? Comment regarder tout ça, à sec ? Extrêmement difficile d'atterrir... Un soir, je recommence. Je me fais une ligne, comme ça, pour voir... ou pour ne pas me voir.

Mon cinquième déménagement, rue Saint-Laurent
Mon ex-ami demeure chez une ancienne copine. Ils m'offrent de nous héberger, Benoit et moi. David est en appartement avec un ami. Je suis sur le B.S. Je passe

mes journées dans des « brasseries-trous » où l'on me paie un verre. Le soir, j'y chante du *blues* en attendant le sommeil-coma qui se prolongera jusque vers la fin de l'après-midi du lendemain. Je fuis la lumière du jour.

Je ne suis plus la France Castel qui, première artiste québécoise à s'y produire, donnait des concerts au club *Playboy* de Montréal. Cette France-là avait une carrière fulgurante. Elle était partout. À Toronto, où Radio-Canada enregistrait son spectacle pour le diffuser dans le cadre des *Beaux Dimanches* et où elle faisait des émissions américaines ou pancanadiennes. Au Québec, où elle participait régulièrement à différentes émissions aux réseaux les plus importants. En studio, où elle enregistrait des publicités... ou des disques, dont il y avait toujours de fortes chances qu'elle les vende à cent mille exemplaires et plus. Non ! Maintenant, à la fermeture des brasseries, je me retrouve dans des *Blind pigs,* où il y a toujours quelqu'un pour m'offrir un verre ou une ligne. Je suis complètement lavée. Les gens que je côtoie sont de plus en plus marginaux (le mot est faible), et je vais de mésaventure en mésaventure.

Une mésaventure parmi tant d'autres...

Je suis dans un appartement et j'ai les yeux bandés. Je ne me rappelle plus pourquoi je suis là. J'entends des chiens qui jappent. Ils sont peut-être sur le balcon. À la voix qu'ils ont, ils doivent être très gros. Dans le logement, la circulation est intense. Des gens qui se connaissent bien : un clan. Je suis gelée, presque dans le permafrost. Mais la peur me ramène vite à une forme de lucidité : celle de l'instinct de survie.

Dans le monde interlope, la police est moins dangereuse que la rivalité entre les gangs. Et comme je suis la *coke* partout où elle se trouve, il m'arrive de rencontrer des gens qui n'appartiennent pas nécessairement à la *gang* avec laquelle je me trouve présentement. On veut me faire parler. On veut que je donne des renseignements. On me met dans la bouche des aliments qui sont bourrés de granules. Je pense « poison ». J'ai les yeux toujours bandés. Avec la tête, je fais signe que non. Je ne parlerai pas.

On essaie une autre tactique, on m'offre de la *coke*. Je ne parle pas plus. Je prie du fond de l'âme, je prie... On m'enlève mon bandeau : un éclair métallique près de mon visage. Un gars promène la lame de son couteau sur ma joue. Je pense : « Si tu recules d'un pas, t'es faite ». Je garde la tête droite, pendant que cette lame menace mon visage. Lui est debout. Je ne le regarde pas pour ne jamais savoir qui c'est. Je regarde plutôt dans le vague, un peu plus bas que le milieu. J'apprendrai plus tard que c'est souvent la position des yeux en méditation zen.

Mais le jeu me semble durer longtemps, très longtemps... Jusqu'à ce qu'on me rebande les yeux et que je sente un revolver sur ma tempe. Je continue à dire non. De toute façon, que je dise oui ou non, je vais y passer. Je suis dans un cul-de-sac. Si je dénonce, c'est ma mort, parce que je pourrais être dangereuse pour eux aussi. Si je ne dénonce pas, je leur déplais terriblement. Je demeure fermée comme une huître. Dieu merci ! Malgré la *dope,* je ne vendrai ou ne donnerai jamais quelqu'un.

Soudain, l'inattendu : j'entends quelqu'un arriver. J'ai l'impression qu'il donne l'ordre de me libérer. Je ne sais pas ce qui se passe. Quelque temps après, je me retrouve sur le trottoir, non loin de chez moi sur la rue Saint-Laurent, à moitié consciente. Quelques jours plus tard, je découvrirai plein de petits granules dans mes poches. Où suis-je allée ? Je ne sais pas. Avec qui ? *Blackout !* Tout ce qu'il me reste de cette aventure, c'est la sensation d'être morte une fois.

Une dernière escale à Montréal...
Mon sixième déménagement en deux ans

La copine de mon ex-ami ne renouvelle pas son bail. Je suis dans la rue. Flo, une amie, m'appelle pour me dire que sa voisine a quitté son logement. Elle demeure sur Parc-Lafontaine. J'emménage donc avec Benoit dans ce petit *bachelor* de deux pièces et demie. Et, pour me rappeler d'où je viens ou pour me rassurer sur la *star* filante que je suis, je tapisse les murs de photos de moi en spectacle. Les seules autres photos que j'expose sont celles de mes enfants bébés, puis à un, deux, trois, quatre ans...

Un matelas par terre me sert d'alcôve. Une table, un divan, un chemisier et un petit autel bouddhiste, voilà tout le mobilier de la pièce double qui fait office de salon et de chambre à coucher ouverte sur la cuisinette. Une autre petite pièce sert de chambre à Benoit. Pour donner de l'atmosphère, je recouvre les lampes de pièces de tissu, de châles, de tout ce qui peut servir à faire contre-jour. Je prends possession de mon petit royaume, où je serai à mes seuls yeux une *godmother*. Flo, ma nouvelle voisine, traversera souvent pour voir si je respire encore. Ma consommation a encore augmenté, et il n'est pas rare qu'après deux ou trois jours de veille, je tombe dans un sommeil semi-comateux. Je fréquente de plus en plus des durs de durs. Je risque ma vie souvent.

Difficile à digérer...

Un jour que je dîne en compagnie d'une *gang,* un homme s'avance dans le restaurant et ouvre le feu. Tout le monde est pris par surprise et tout « revole » : les tables retournées, les chaises à l'envers, les vitres en éclats. Les gens se bousculent, crient et quelques-uns sont blessés ou se sont blessés, je ne sais pas. Je ne sais pas non plus par quel miracle je me retrouve dehors dans une auto qui roule à vive allure. Une chose que je sais : je suis encore en vie.

Le délire...

À la maison, je n'ai plus d'électricité. De temps en temps, ma voisine me permet de me brancher chez elle. Elle est d'une patience extraordinaire avec moi. D'ailleurs, elle est la seule qui peut me calmer quand je suis en plein délire... « Les petits canards, les petits canards... Ils sont là, les petits canards... » « Où ça ? » Je montre du doigt. « Là. Là. Regarde, ils s'en viennent ! » Flo reprend d'une voix douce : « Ils sont seulement venus te dire bonjour. Dis-leur bonjour, ils vont s'en aller gentiment. » « Bonjour, petits canards !

couac, couac, couac... » « Tu vois, France, ils s'en vont déjà. Regarde, il y en a un déjà rendu près de la porte. » Calmée, je me rendors.

Un autre personnage survient dans mes délires : le diable. Quand il surgit, je ressens une frayeur épouvantable. Son apparition coïncide souvent avec l'arrivée d'une personne bien spécifique. Souvent, quand cette personne-là me rend visite, je deviens hors de moi. Elle prend la forme du diable, avec tout ce qu'il a de hideux, de malsain et de dangereux. C'est l'apparition que Flo aime le moins, parce que j'entre dans une crise épouvantable. Je me cache sous mes draps, la tête enfouie dans l'oreiller. Des cris et des gémissements s'échappent de mon lit pendant qu'elle s'occupe sur deux fronts à la fois. Celui où elle doit me calmer et, en même temps, être polie avec la personne qui, sans le savoir, provoque l'apparition.

La prière

Tous les jours, je prie devant mon Bouddha. Je dis mon mantra et mes invocations. Je sais bien que je fais trop de *coke*. Malgré mon état, je comprends que le bouddhisme est une philosophie inspirée de la loi de cause à effet. Je suis donc devenue bouddhiste et je vais au temple, gelée comme une *bine*.

Quand je ne me gèle pas, je prie pour avoir de la *dope*, « juste assez pour ne pas mourir ». Je commence par dire mes prières pour mes enfants et, tout de suite après, je demande de la *coke* : « J'en ai besoin. Envoyez donc ! » Et j'en ai automatiquement, juste assez pour ne pas mourir. Ce n'est pas par peur de la mort que je fais cette demande, c'est tout simplement parce que je veux avoir une journée de *coke* de plus... Certains jours, j'écoute mon cœur battre. Le battement est effrayant. Je me dis : « Je vais arrêter d'en prendre pendant une demi-heure. Comme ça, je pourrai vivre plus longtemps et je pourrai en prendre encore un peu plus longtemps ». C'est ce que l'on peut appeler de la très, très, très grande dépendance. Quand on m'appelle pour participer à des émissions, je fais dire par Daniel Malenfant, qui est maintenant mon agent, que je suis « partie au temple ». Cela m'évite d'avoir à parler aux gens du métier. Maintenant, je me cache.

Une très grosse gaffe !

C'est un jour où je suis en manque. Je ne peux pas appeler ceux qui me fournissent d'habitude. Par un dédale de mensonges, je les ai amenés à m'avancer d'une fois à l'autre jusqu'à plusieurs milliers de dollars de drogue. Je leur raconte, depuis des semaines, que j'ai hérité de terrains et qu'ils sont en vente. Et eux m'avancent la drogue sur le prix des terrains. J'ai dit qu'ils se vendraient autour de dix mille dollars. C'est un montant suffisant pour m'assurer une fourniture régulière de drogue pendant un petit bout de temps. Mais ils commencent à trouver qu'il y a longtemps que les terrains sont en vente... Ils deviennent de plus en plus pressants et leurs arguments sont de plus en plus sérieux.

J'ai peur. Je ne sais pas comment faire pour m'en sortir. Une amie m'appelle. Pour me faire prendre l'air, elle m'invite à aller avec elle dépanner une collègue de travail en gardant sa fille pendant quelques heures. Nous y allons. Pendant que nous sommes là, la petite joue avec un carnet de chèques personnalisés de sa mère, qu'elle a trouvé. Elle s'amuse à y griffonner des semblants de signature. Je pense : « Pour traîner comme ça, ce doivent être des chèques qui appartiennent à un compte inactif ou alors, il ne doit pas y avoir grand-chose dedans ». J'ai un plan : « Ils peuvent me faire gagner du temps ». Discrètement, avant de partir, je soutire un des chèques à la petite.

De retour à la maison, je tape mon nom sur le chèque et sur la ligne du montant, j'inscris : dix mille dollars. J'appelle les gars et je leur dis : « Mes terrains sont vendus. J'ai reçu le chèque. Il est plus gros que ce que je vous dois. Je veux un ‹ vous savez quoi › pour la différence, ce soir ! » « Combien ? » « Deux mille, dis-je. Je vous donne tout le chèque ce soir. » Ils n'en reviennent pas. « On y va. Mais toi, tu vas venir encaisser le chèque avec nous autres demain à l'ouverture de la banque. » « C'est bien correct, mais venez ce soir, par exemple ! »

Le jeu que je joue est très dangereux. Mais l'emprise de la *coke* est plus forte que tout. Dans peu de temps, ce soir, j'aurai enfin de la poudre à priser et je pourrai calmer l'angoisse qui m'envahit quand je suis en manque. Maintenant, c'est vraiment tout ce qui compte !

Le lendemain matin, je n'ai pas le temps d'ouvrir l'œil qu'ils sont déjà à ma porte. Ils ont respecté leur parole hier soir, je dois respecter la mienne aujourd'hui. Je ne sais pas ce qui m'attend à la banque. J'en-

tre, l'air sûr de moi. J'affiche mon plus beau sourire.
En dedans, je me sens l'estomac comme un broyeur.
J'avance vers le comptoir. La caissière me reconnaît.
Discrètement, je regarde toutes les sorties, excepté la
porte d'en avant où mes bonshommes m'attendent.
Pendant que mon cœur bat à faire un infarctus et que
je cherche par où m'échapper, je réponds à la caissière qui vient de me dire : « Bonjour, madame Castel, que puis-je faire pour vous ? » « Mademoiselle,
j'ai ici un chèque que je voudrais encaisser, s'il vous
plaît. » « Bien, madame. »

Je m'attends à tout. À me faire amener dans le
bureau du directeur, à me faire dire que le compte est
fermé ou, encore, qu'il n'y a pas la bonne signature
sur le chèque. J'ai eu ce que je voulais hier soir, mais,
aujourd'hui, je ne vaux pas cher. La caissière revient
et, avec son plus beau sourire, elle me remet dix mille
dollars. Un coup de masse en plein front ne me ferait
pas plus d'effet. Je sors de la banque avec l'argent dans
mon sac. Je suis estomaquée. Les gars sont très heureux. Je suis zombi.

Rentrée à la maison, je suis encore en état de
choc. Après une longue hésitation, j'appelle l'amie qui
m'avait invitée à garder la petite avec elle. Je finis par
tout avouer. Elle tombe, elle aussi, en état de choc !
Elle me prêtera une partie de la somme à rembourser.
La mère de l'enfant est en voyage. Elle reviendra dans
une semaine ou deux. Une autre amie intervient
auprès de la banque pour faire des arrangements. Il
me faut un avocat et surtout d'autres relations qui
pourraient me prêter l'argent pour le remettre dans le

compte de la dame. On défend ma cause en disant que « France Castel est une grande malade... ». Et c'est vrai !

Chapitre 9

MA DERNIÈRE CHANCE

Mon aventure à la banque m'a secouée. Je suis sur mes gardes. Je me méfie de moi. Je suis un peu plus sage. Côté métier, je vivote. Je me suis cachée si longtemps qu'on ne me cherche plus. Bref, la vie est on ne peut plus moche. Un beau jour, Louison Danis appelle Christiane : elle a un rôle pour moi dans une pièce écrite par deux jeunes auteurs : *Phénomène M.* Cette pièce rassemble sur scène les trois plus grands mythes du cinéma : Marilyn Monroe, Marlène Dietrich et May West. Nous rencontrons Louison Danis et les auteurs, Mongeon et Harvey. Toute la journée, j'ai fait attention à ma consommation en prévision de cette rencontre. Je me défends bien. On me confie le personnage de Dietrich. Je vois ce rôle comme une dernière chance.

J'admire Marlène Dietrich. Elle a toujours su faire la part des choses entre la scène, la vie et l'amour. Quand elle donnait un spectacle, elle y allait de toutes ses forces, mais elle savait que ce n'était pas la vie. Dans la vie, elle était elle-même, toute simple, style « pensez ce que vous voulez, moi, je me connais, je sais qui je suis ». Quand elle recevait, elle préparait elle-même le repas de ses invités. Souvent même, on la prenait pour la bonne. Elle faisait aussi les robes qu'elle portait, sauf évidemment ses costumes de scène qui, eux, appartenaient à la vie de scène. Et elle savait par-dessus tout que l'amour est au-dessus de tout. J'aime Marlène. Je joue à fond le personnage.

Je suis présente aux répétitions. J'essaie de ne pas trop priser quand je travaille et j'apprends mon rôle du mieux que je peux. Mais je sais aussi, presque par cœur, celui de Marilyn. La comédienne qui l'interprète est très talentueuse, et le personnage, sympathique ! Marilyn qui désire tellement être aimée et admirer qu'elle ferait tout pour qu'on l'aime... Personnage extrêmement touchant, remuant même.

Mais j'oublie petit à petit mes résolutions. J'augmente ma consommation. Ma physionomie change. Je maigris encore. J'ai la peau transparente. Et je fuis les commentaires. Je suis sur la défensive. « France, t'as bien maigri ! » « Vous êtes jaloux, parce que moi, je suis encore mince, et vous autres, vous êtes gros. »

Je ne veux pas voir. Je sais, mais je ne veux pas voir. Je me sauve pour ne pas voir ce qu'ils me reflètent en pleine conscience : l'image de ma réalité, de ce que je suis devenue... Alors, la perspective d'aller jouer ailleurs, de partir, m'enchante. Maintenant, avec mes multiples déménagements, je suis une habituée des déplacements. Mais je ne suis pas en mouvement.

Ma vie est une roue qui tourne sur place, dans la même ornière. Plus elle tourne, plus elle s'enfonce. Je n'avance pas. Mais je crois qu'avec du nouveau monde, en changeant de paysage et de maison, ma vie va changer. Je ne veux pas voir que le problème n'est pas autour de moi, mais en dedans. Je pourrais aller vivre au pôle Nord ou aux Caraïbes, j'aurais la même vie. Tant que je n'accepte pas d'aller voir ce que je porte, même si la vision est douloureuse, je ne peux pas m'en sortir. Mais la douleur fait peur. Et le seul remède que je connaisse est la drogue. Même si la dose est de moins en moins efficace pour geler ce qui remonte, la *coke* est encore le seul moyen que j'ai de contrer ma souffrance d'enfant, à laquelle s'ajoute depuis longtemps ma culpabilité face à mes propres enfants. Je ne suis plus en contact avec eux... Comment pourrais-je l'être ? Quel climat de confort, de sécurité, de chaleur et d'amour pourrais-je leur offrir ? Comment leur donner ce que je n'ai pas ? Je suis inconfortable dans ma peau, errante, gelée et, par-dessus tout, je ne m'aime pas.

Très tôt, à l'école, j'ai appris comme tout le monde cette phrase : « Aime ton prochain comme toi-même ». Cette phrase nous dit qu'on aime les autres dans la mesure où l'on s'aime. Mais tous ceux et celles qui nous l'ont enseignée appuyaient beaucoup sur « Aime ton prochain... » et tenaient pour acquis qu'on s'aimait soi-même. Mais qu'arrive-t-il quand on ne s'aime pas ? On aime quand même, mais avec toutes nos propres carences. Les miennes sont graves et destructrices. Si une personne avait le malheur de me dire que je n'ai pas aimé ou que je n'aime pas mes enfants, elle se ferait « retourner de bord » en deux temps, trois mouvements. Je sais, par toute la souffrance que je vis dans ma maladie, que je les aime à en mourir, mais que je suis « enfer-mée ».

Perkins ou la descente aux enfers

Je suis la troupe à Perkins. Nous allons enfin jouer *Phénomène M.* Je m'en vais là-bas avec la ferme résolution de m'en sortir... J'ai une petite réserve de poudre que j'étire à n'en plus finir. J'espère pouvoir diminuer les quantités petit à petit, pour arriver enfin à zéro. Mais on n'arrive pas comme ça à zéro, surtout quand on a une moyenne comme la mienne. En essayant le système « graduel » vers le bas, il arrive des jours où les émotions sont plus à vif, et les mauvais souvenirs remontent jusqu'à l'étouffement. Ces mauvais souvenirs sont déjà tellement difficiles à enterrer avec une dose massive de *dope* qu'ils sont intolérables avec une petite dose. Ces jours-là, je cherche l'endroit à Perkins où je pourrais me procurer de la *coke.* Je marche sur des épines. Je pleure seule. J'ai beaucoup de misère à vivre. Régulièrement en manque, je réussis quand même à tenir pendant un mois sans devenir folle. La pièce va bien. J'ai de bonnes critiques. À mon grand soulagement, je trouve ce que je cherche : de la *coke.* Je deviens une cliente assidue, mais je me brûle encore une fois auprès de mes fournisseurs. Je suis dangereusement en manque.

De la coke *par autobus*

La panique me donne toutes les audaces. Je téléphone à mon agent à Montréal. Sur un ton qui ne permet aucune réplique, je lui dis : « Trouves-en, ça presse ! Dis-leur qu'ils ont tout intérêt à m'en envoyer ! Tu me l'enverras par autobus ». Où vais-je chercher ça, « qu'ils ont tout intérêt à m'en envoyer » ? À qui je pourrais faire peur ? Mais le plus drôle, c'est que ça marche. Une vraie histoire de fous !

Plusieurs fois, je vais au terminus cueillir un précieux colis... Jusqu'à ce que les fournisseurs, trop surpris pour dire non au début, se ravisent une fois pour toutes. Je n'ai plus de crédit, là-bas, à Montréal. Ici, tous mes cachets servent à acheter de la drogue. Je me suis trouvé un endroit où chanter. Ironie du sort, c'est un des bars *clean* de la région. Rita, la propriétaire, n'aime pas du tout la *coke* et tient à garder son bar propre, sans *dope*. C'est clair, et elle ne nous l'envoie pas dire ! Mais elle sert l'alcool généreusement. Elle m'embauche. Je suis devenue la chanteuse officielle du bar de Rita. Je chante du *blues*.

Bienvenue aux dames

Le comédien-metteur en scène Pierre Collin m'a approchée pour que je joue à Ottawa dans une pièce qu'il monte : *Bienvenue aux Dames*. Il voit bien que je consomme fort, mais il a quand même confiance en moi : « Je sais que tu ne me laisseras pas tomber... » me dit-il, un jour. C'est bon, la confiance ! Quand ça vous coule dessus, c'est comme un baume sur vos blessures. C'est doux, doux, doux. Mais c'est aussi très fort, suffisamment fort pour que je reste pour répéter. D'ailleurs, je n'ai pas le goût de m'en retourner. Je loue un petit chalet dans le coin. Dans le fond, je suis loin de Montréal, loin des ennuis. Je répète, je chante. Tous mes cachets passent dans la drogue. Je consomme tous les jours. Je suis à bout, mais je joue. Pierre Collin, que je crois parti, a loué lui aussi un petit chalet, pas loin. Une fois sa mise en scène terminée, il n'est plus obligé de rester, mais il reste. J'apprendrai plus tard qu'il me savait au bout du rouleau et s'attendait à tout.

Chapitre 10

LA SOLUTION : LE SUICIDE ?

Toute la troupe retourne à Montréal. Moi, je me sauve. Je décide donc de demeurer à la campagne avec le petit ami que je viens de me faire. J'ai quarante ans, et lui, vingt-deux. Je continue de faire mes affaires tranquillement. Je me gèle très mal. Le petit jeune ne consomme pas. Je suis obligée de me cacher pour prendre ma *coke*. Par contre, en le regardant vivre, je suis obligée de comparer ma vie à la sienne. Et le bilan ne pèse pas lourd de mon côté... Les amis qui viennent me voir n'osent pas trop parler, je le sens bien. Je suis épeurante à voir. Les gens n'ont plus peur pour eux, je ne suis plus dangereuse, mais ils ont peur pour moi.

Je dois dire que mon esprit est plutôt dans un autre monde et mes pensées, distordues. Le soir, avant de me coucher, je fais une grosse ligne sur un livre de religion. C'est la seule façon de m'endormir. Mais souvent je me relève pour aller parler à un ami que je me suis fait : un arbre, un très gros arbre avec d'énormes racines. Je prends une ligne et je lui parle. Je sens le lac dans ses racines enfoncées dans le rocher. Pour moi, c'est le lac. Chaque soir, je lui demande : « Est-ce ce soir que je me jette ? ». Mon ami l'arbre répond : « T'é fou... T'é fou... ». Mon petit ami me regarde avec de la frayeur dans les yeux. Je continue de converser avec mon ami l'arbre. J'appuie ma colonne vertébrale sur son tronc. « Est-ce que je saute dedans ? » Je veux mourir, chaque soir...

Blackout : *c'est la sortie...*
Un soir, le *spleen,* plus présent que jamais me soulève le fond de l'âme. Mes pensées répandent leur nostalgie dans tout mon être. Ma vie est un amour brisé... Mes enfants sont ailleurs ; je n'ai plus de contact avec eux. Mes prières changent... Il ne faut pas que je sois en manque. Un jour sans *dope* et je suis une loque en souffrance. Je bois pour compenser. Sans *coke*, l'alcool ne me va pas du tout. Je bois de la vodka. Rapidement, j'entre en *blackout.* Je n'entends plus mon ami l'arbre qui me dit entre ses branches : « T'é fou... T'é fou... ». Un seul *flash :* une grosse boîte de pilules pour dormir.

Le réveil

Le premier visage humain que je vois à mon réveil est celui de Pierre Collin, qui m'attend depuis longtemps. Il n'est pas censé être là. Il devrait être parti avec les autres... Mais il a veillé comme un ange gardien, pour être là, au besoin. Il presse mon estomac pour me faire vomir. C'est ce que je fais dans l'ambulance sur le chemin de l'hôpital. « En as-tu assez ? », me demande-il. Ma réponse est un gros OUI ! Mais j'ai peur de le déranger, lui qui m'a embauchée dans une de ses mises en scène. Avec sa blonde, Sylvie, Pierre reste pendant deux semaines à me veiller, à me soutenir, comme si je ne dérangeais rien. Il veille. Je dégèle. Je joue au théâtre les soirs de représentation pendant les quinze premiers jours de mon sevrage. Je veux aller jusqu'au bout de mon engagement. J'aurai fait toutes les représentations, sans en manquer une, parce qu'il m'a fait confiance.

J'ai tellement de craquements dans le nez que j'ai de la difficulté à entendre les répliques des autres. Je n'ai plus de cloison nasale. Je commence à avoir mal partout. Dans mes joues, mes sinus, mes mâchoires, mon dos, la douleur crie. J'ai le cuir chevelu tellement sensible que le peigne devient comme un râteau qu'on enfonce dans ma tête. Mes yeux sont sur le point d'exploser. Ma peau est harcelée par des millions de petits dards invisibles.

Dégeler, c'est l'extrême contraire du froid et c'est le froid en même temps. C'est prendre un brûlé au troisième degré et le laisser aux quatre vents. Le moindre souffle, le moindre déplacement d'air sur ses brûlures lui font mal jusque dans la moelle. Le moindre souvenir, la moindre émotion lui brûle le cœur jusqu'au fond de sa vie. Tranquillement, la mémoire entrouvre les portes aux souvenirs gelés, aux émotions tues depuis l'enfance. Les vieilles peurs reviennent, les grands chagrins aussi.

Au bout de quinze jours, les représentations sont terminées. J'appelle Paulette, à la Maisonnée d'Oka. Je veux aller en thérapie, en milieu protégé.

Chapitre 11

LA MAISONNÉE D'OKA : PAVILLON DES FEMMES

J'entre pour la deuxième fois à la Maisonnée d'Oka, parce que, la première fois, je m'étais sentie aimée par Paulette Guinois. Mais la Maisonnée a changé. Les hommes et les femmes sont séparés. Il y a maintenant un pavillon des femmes. Je n'aime pas ça du tout. Je dis à Paulette : « Tu sais, je ne suis plus du tout sûre que c'est ce qu'il me faut... Mais je ne peux plus vivre avec la *coke* et je ne peux plus vivre sans la *coke*... Je vais essayer, mais je ne suis pas convaincue que ça va marcher... ». La Maisonnée pense même à me renvoyer, tellement je ne suis pas décidée. Ma réponse : « Non, je reste ici ». J'ai l'impression que je viens de rencontrer le bas-fond qu'il me faut. Tant que j'avais de l'énergie pour tout rafistoler, je ne pouvais pas me rendre. Mais aujourd'hui, ma conscience s'est ouverte à toutes les histoires que j'ai vécues : l'amour, les enfants, la carrière, les tentatives de suicide. Mon corps aussi est en train de lâcher. Je suis maigre à faire peur.

Pour moi, c'est ma première étape. C'est clair : je suis dépendante de la *coke* et j'ai perdu la maîtrise de ma vie. Le retour sur moi-même que je fais à la Maisonnée me donne accès à mes ressources profondes, où je puise courage et force. Je veux fermement m'en sortir. C'est la bonne thérapie, parce qu'il n'y a que des femmes et je ne peux plus me sauver de moi. À ma première tentative de réhabilitation, j'avais fait ma finaude. J'avais materné tous les hommes qui séjournaient à la Maisonnée en même temps que moi, uniquement pour échapper à ma thérapie. Je n'avais pas travaillé sur mon vrai problème émotif... Le rétablissement n'avait pas duré longtemps. Cette fois-ci, je comprends que ce n'est pas seulement une ligne ou deux que je veux, mais tout le sac, jusqu'à ce que mort s'ensuive.

À la première thérapie, j'ai répété ce que j'ai toujours fait dans ma vie, c'est-à-dire m'ajuster. À cette deuxième entrée à la Maisonnée, je suis tellement « basse » que mon jeu ne peut plus marcher. On me laisse aller et on me casse, comme on dit. Je suis entourée de femmes. Je suis mal à l'aise. J'apprends à parler, à dire, à regarder ma relation avec elles. Certaines amitiés que j'ai eues avaient été troubles, ambiguës. J'avais ressenti des émotions « dérangeantes » qui ressemblaient plus à mes *patterns* amoureux qu'à

de l'amitié. Ce n'était pas des relations d'amitié simples comme celle que j'ai aujourd'hui avec mon amie
Marie-Jan. Les relations dont je vous parle sont beaucoup plus complexes. En thérapie, confrontée constamment à des femmes, je suis obligée de regarder
cette dualité qui m'inquiète, parce que Dieu sait que
j'aime les hommes ! Mais je sens tout de même cette
dualité. Toutefois, la thérapie de la Maisonnée d'Oka
est ce qu'on appelle une thérapie brève ; or, je sais
très bien que j'ai tellement de ménage à faire et de
choses à apprendre que ce n'est certes pas en deux ou
trois semaines que je réussirai ce tour de force. Mais
je réalise tout de même que ces relations sont allées
me chercher dans tous mes manques de l'enfance.
C'est douloureux !

Et plus douloureuse et plus violente pour moi
est la prise de conscience de mon besoin de l'amour
des femmes. En ne côtoyant que des femmes pendant
mon séjour à Oka, je réalise jusqu'à quel point j'ai
besoin de me sentir aimée d'elles. Moi qui, jusqu'à
présent, par mon comportement parfois « chiant »
envers elles, les faisait fuir, je désire maintenant de
tout mon cœur qu'elles se rapprochent de moi et qu'elles m'aiment.

Quelques années après la Maisonnée d'Oka, j'accepterai d'aller voir en thérapie individuelle les vieilles
blessures, pour mieux me connaître, me comprendre
et m'aimer.

Tout est à faire et à refaire.

En attendant, j'ai le goût de recommencer à neuf. Je pense même à me faire faire un autre visage par un chirurgien esthétique. Trop de gens connaissent France Castel, et France Castel a gaffé avec beaucoup de gens. M'en aller dans un petit village, loin de la ville ? Ce serait encore pire. Je serais reconnue. Je songe vraiment à disparaître derrière un visage qui n'est pas le mien ou dans un lieu auquel je n'appartiens pas. Dans ces songeries, il y a du rejet et de la honte envers moi. Il y a encore l'illusion qu'un changement de surface va créer une métamorphose profonde. Accepter France telle qu'elle est, sans la juger et sans qu'elle se sente coupable. En tout premier lieu, accepter, seulement comprendre... Difficile, extrêmement difficile !

En thérapie, que l'on soit alcoolique, toxicomane ou narcomane, nous sommes tous initiés au mode de vie des AA et aux douze étapes qui nous permettent de suivre ce mode de vie. Les trois premières étapes nous invitent à reconnaître notre dépendance (la toxicomanie pour moi) et *à confier notre vie à une puissance supérieure telle que nous la concevons*. Accepter que je suis impuissante devant la *coke*. Je me suis rendue à l'évidence. *Confier ma vie...* Je crois en une puissance supérieure. Je suis au stade où je confie comme je peux...

La quatrième étape

« Nous avons courageusement procédé à un inventaire moral minutieux de nous-mêmes... » Combien de colère et combien de peine j'ai eues en faisant cet inventaire ! Mes enfants que j'ai abandonnés dans mon errance. Oui, je dis le mot « abandonnés ». Je les ai laissés sans support maternel, non pas dans mon cœur et dans mes pensées, mais dans les faits. Ma fille au moins est chez son père. Mais mes fils eux, par mon absence, ont été sans support « paternel » aussi. Ma carrière, mes amours, ma basse estime de moi, la dilapidation de mon argent, mes dettes, les *pushers* qui m'attendent dehors, les jugements que j'ai sur le dos pour toutes sortes de comptes impayés, etc. Ça fait beaucoup ! J'ai le vertige en voyant le tableau.

Vingt-quatre heures à la fois

On nous apprend aussi à vivre vingt-quatre heures à la fois. À certains moments, c'est à la minute que je vis. De toute évidence, avec le travail que j'ai à faire en sortant, je suis mieux de vivre à la minute. « Un éléphant, ça se mange... Oui, mais une bouchée à la fois. » Je suis bien mieux de me faire à l'idée que ce ne sera pas parce que j'ai arrêté de consommer que je vais avoir toute la crédibilité que je voudrais auprès des personnes qui m'ont vue consommer ou qui en ont subi les conséquences...

La cinquième étape

« Nous avons avoué à Dieu, à nous-mêmes et à un autre être humain la nature exacte de nos torts. » À la Maisonnée, cette étape se vit avec une thérapeute. Quel soulagement ! On pourrait croire que cette étape peut être humiliante... Souffrante, oui mais pas humiliante. L'attitude de l'intervenante y est pour quelque chose : je me sens aimée. Je peux raconter tout ce que j'ai fait en étant écoutée d'une oreille attentive, mais qui ne juge pas. Je sens plutôt sa compassion à mon égard... Aucune pitié, mais de la compassion. J'ai besoin de cette compréhension pour m'aimer un peu, pour ne pas être qu'une boule de culpabilité et de remords, pour sentir que quelque part, je suis correcte.

Un beau cadeau de cette thérapie : Gaétan

En thérapie, on fait des *meetings* de type AA. Les résidents du pavillon des femmes et de celui des hommes tiennent des réunions AA ensemble. À l'une de ces réunions, il y a un gars qui, depuis le début de son sevrage, douze jours, fait de l'insomnie. Il vient d'Alma. Il ne dit pas un mot depuis qu'il est entré en thérapie. Je ne sais pas si c'est le choc de voir France Castel à la même place que lui, ou si c'est parce qu'il éprouvait le besoin de parler à une femme. Toujours est-il qu'il ouvre la bouche, et les phrases sortent sans arrêt pendant un bon dix minutes. À la fin de notre entretien, je lui dis : « Je pense que, ce soir, tu vas dormir... ». Effectivement, il a dormi. Puis, aux réunions suivantes, il nous arrive souvent de partager nos expériences, nos inquiétudes, nos souhaits.

Amis-amis

Une belle complicité naît entre nous. C'est un gars extraordinaire. Il aime son travail de cuisinier et, pour boucler son budget, il distribue les journaux à trois heures du matin. Il a une femme dans sa vie. Nous sommes ami-amie. C'est un des rares hommes qui m'ait approchée avec rien derrière la tête. Je dis bien derrière la tête, parce que, dans sa tête et dans son cœur, il y a beaucoup d'amour. Mais un amour sain, qui donne sans arrière-pensée et sans attente. D'ailleurs, nous continuerons de nous voir toujours comme amis, après être sortis de thérapie. Quand il viendra à Montréal, il appellera, et je me rendrai toujours disponible pour lui. Il est de la même trempe que mes trois amis italiens, Daniel et Normand, deux frères, et Jean, leur oncle. Ces trois hommes-là m'ont aidée et m'aident encore sans jamais rien demander en retour. Ce sont eux qui, chaque fois que je déménage, me prêtent secours. Et Dieu sait si j'ai déménagé depuis que je suis de retour à Montréal ! Je me considère très chanceuse d'être leur amie.

J'ai aussi un autre ami de longue date et qui le demeurera au sortir de ma thérapie : c'est Pierre David, mon coiffeur. Lui, c'est mon « amie de fille », qui me fait ses confidences, me raconte ses amours, ses problèmes et à qui je raconte tout. Mais des amis comme Gaétan, Daniel, Normand et Jean, on les compte sur les doigts d'une seule main... Des hommes qui aiment les femmes comme des hommes et qui établissent une relation purement amicale avec moi, c'est merveilleux ! Il n'y a pas seulement cela ; il y a aussi « qui » ils sont : des êtres riches de cœur et d'âme...

En 1980, dans *Starmania*, je joue le rôle de Stella Spotlight.
Ici, je donne la réplique au *businessman*, à genoux.

Dans *Starmania,* à gauche, le tango de l'amour et de la mort
et, à droite, le baiser de l'amour et de la mort.

Les adieux de Stella Spotlight,
adieux qui me faisaient mourir, chaque soir.

À l'aéroport, quand ma fille s'en va vivre avec son père.
Je suis dans le désert.

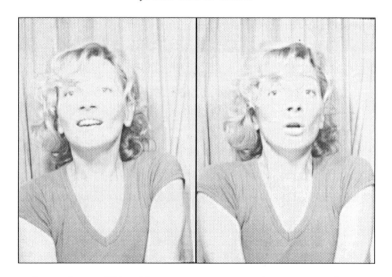

Deux photos d'identification prises en 1984, pour être admise
aux activités sportives d'Outremont : je suis visiblement gelée.

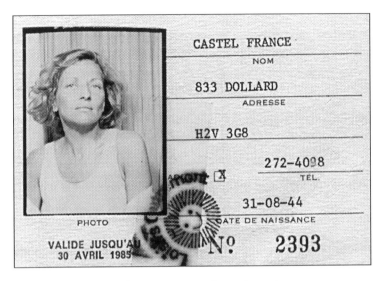

Même photo reprise un jour plus calme :
avouez qu'elle convient mieux à une carte d'abonnement.

Lendemain de veille...

Je me prends pour une *Godmother.*

Moi, dans le rôle de Marlène Dietrich.

Perkins : je joue la fille sportive.
Je voudrais que la dernière photo de moi en soit une « saine »...

...mais la réalité est tout autre.

Le metteur en scène Pierre Collin, mon « ange gardien ».

Le 9 novembre 1986 : adossée à mon arbre,
quelques jours avant que Pierre ne m'amène en cure.

Chapitre 12

PAS QUESTION DE RECHUTE !

Je sortirai donc de cette deuxième thérapie avec la ferme intention de ne pas rechuter et une tâche énorme à accomplir. Une chatte perdrait son petit dans le désordre de ma vie. Je suis criblée de dettes et pleine de peurs. Je n'ai plus rien. Je ne sais même pas si je vais travailler. Mon séjour à la Maisonnée d'Oka m'a aidée, mais je me sens responsable. Que je le veuille ou non, mes enfants sont dispersés. Je n'ai pas de bonnes relations, même avec le monde que j'aime et qui m'ont aimée. Ce sont encore des relations où je me sens trop coupable.

Un jour à la fois...

Un jour à la fois, ne pas se cacher, négocier, faire face. Je n'ai plus rien, pas même un seul drap. Quand je rencontre des gens de mon milieu de travail, c'est la douleur : « Mon Dieu, que j'étais malade ! » Face à mes enfants, c'est pire...

J'ai perdu toute crédibilité

J'ai le malheur de demander à quelqu'un de l'argent qui me sauverait vraiment la vie. J'essuie un refus. Je trouve que certaines personnes se désintéressent carrément de ce qui arrive à un être humain. Heureusement qu'il y en a d'autres...

Maudit orgueil !

Il m'est difficile, terriblement difficile de faire le programme de ma journée : « Aujourd'hui, est-ce que j'ai à manger ? » Trop orgueilleuse pour demander à ceux ou celles qui pourraient m'en donner. Ceux à qui je pourrais en demander sans gêne sont dans la même situation que moi. Pour moi, quêter de la nourriture, c'est la même chose que demander de la *coke :* j'en acceptais, si j'en avais à donner. Autrement, je m'en passais.

Comment tout rebâtir ?

Daniel Malenfant qui, à cette époque-là, s'occupe de la maison personnelle de Nanette Workman, m'offre de partager cette maison avec lui, moyennant une petite pension dont les deux premiers mois sont gratuits. Les fins de semaine, je vais garder les résidentes de la Maisonnée d'Oka, ne serait-ce que pour pouvoir manger et me garder sobre. Je fais quelques réunions AA et CA. Côté métier, on m'offre de courtes apparitions à des émissions populaires. Je suis même étonnée qu'on m'appelle. Mais la seule chose dont on veut me parler en ondes, c'est du « scandale » de ma vie... J'ai l'impression d'être récupérée par la cote d'écoute.

Je n'ai pas le choix. C'est le seul travail qu'on m'offre. Mais, en même temps, j'ai besoin d'avouer, de dire et de faire quelque chose (je ne sais pas encore quoi) avec ce cheminement tumultueux dont j'essaie de sortir.

Je crève de faim

Je mange une fois par jour. Si j'ai un *Ad Lib* à faire, j'y vais avec des vêtements empruntés. Je prends l'autobus. Quelquefois, on me reconnaît. Je suis loin de la *star...* J'essaie tout simplement de rester sobre. Les petits, eux aussi, reviennent tranquillement. Je me demande : « Mais comment je vais faire pour les aider ? » Et si je sors de mon vingt-quatre heures, ou si je ne peux pas leur venir en aide, c'est la panique. Je me sens obligée de rendre ce qu'on m'a donné. C'est une question d'équilibre.

Un talk show *à TQS...*
Un four où je me brûle chaque jour.

Puis TQS m'appelle pour faire un *talk show* sur les relations passionnelles et amoureuses : chose que je connais, il va sans dire... Mais l'émission prend une tout autre allure. Je ne me sens pas tellement à l'aise, malheureuse même. Et quand je suis mal à l'aise, je ris d'une façon démesurée. C'est d'ailleurs ce que je fais à chaque émission. Ma sobriété est en danger. Je m'accroche à la prière de la sérénité et aux *meetings*.

À bon entendeur, salut !

Puisqu'il faut regarder le côté positif des choses, cette expérience à TQS me fait grandir. Elle me rappelle que j'ai un intellect fort. J'ai souffert longtemps de la perception des gens qui, pour nourrir leurs phantasmes, aiment bien penser que je ne suis qu'une écervelée, qu'une vedette populaire, qu'une instinctive dans le plein sens du mot et qu'une irréfléchie.

Non. Je suis aussi quelqu'un qui a des opinions, une personne capable de réflexion, un être qui possède un cerveau solide et un cœur courageux. Et oh ! Surprise ! J'ai aussi une âme qui me fait chanter *soul* et qui rêve d'espace infini... Toutefois, je dois avouer que je suis en partie responsable de cette perception : pendant longtemps, je n'étais pas assez solide pour faire la part des choses entre ce que je jouais et ce qui m'appartenait vraiment. Je suivais un *pattern* vieux comme mon enfance, où je répondais à ce qu'on attendait de moi pour qu'on m'aime, pour avoir ma place. Mais, finalement, on n'aimait pas la vraie France, et je n'avais pas ma vraie place. Je finissais souvent par m'identifier à ce que jouais plutôt qu'à ce que j'étais.

Je joue maintenant !

Pierre Collin, cet ange gardien, me confie une fois de plus un rôle dans une de ses mises en scène. Je joue Camille dans la pièce d'Alain Didier Weil au Théâtre de Quat'Sous. Plonger n'est pas facile. Je suis une boule d'émotions et j'ai peur de ne pas être à la hauteur...

Au premier été de sobriété, je suis embauchée à Compton, et plus tard au *Nouvel Hôtel,* à Montréal, pour jouer les rôles de Marlène Dietrich et de May West dans la pièce *À chacun son ciel.* Je ne sais plus jouer, je ne sais plus rien faire sans *dope.* C'est menaçant et très insécurisant, parce que si je ne peux plus exercer mon métier adéquatement, aussi bien dire que je ne peux plus gagner ma vie. Il faut tout réapprendre. Pour bien jouer, il faut avoir accès aux émotions profondes, aux sentiments. Présentement je vis des émotions de toutes sortes, mais plutôt fébriles. Je dois être très vigilante...

Petit à petit, en dégelant un peu plus, je commence à avoir accès à d'autres émotions. Celles-ci sont les vraies. Et, sans me geler, je peux y puiser comme dans une banque infinie, pour interpréter mes rôles.

J'ai trois enfants dispersés

Mes enfants appartiennent à la partie la plus douloureuse de mon rétablissement. Les trois sont dispersés. Je me sens extrêmement coupable. Et moins je suis gelée, plus je suis coupable... En même temps, la petite fille en moi commence à crier tous ses manques... Je voudrais tellement faire la paix dans tous les domaines de ma vie. Mais je me reproche tellement de choses... Pénible, extrêmement pénible de vouloir tout réparer en même temps. Je souffre de mon incapacité à tout remettre en place tout de suite. Moi qui pensais qu'en arrêtant la *coke,* tous mes problèmes seraient terminés. Hop là ! On n'en parle plus ! C'est tout le contraire... Plus la conscience s'installe, plus je réalise tout ce qu'il y a à faire... Mais de là à savoir quoi faire, c'est une autre paire de manches !

L'apprivoisement

Les enfants reviennent timidement. Je les sens qui m'observent. Ils ne savent pas nécessairement à quoi s'attendre. Certaines de mes réactions peuvent les surprendre. Mine de rien, ils me jaugent. Et c'est bien compréhensible. Sans la *coke,* je suis plus collée à ma vraie personnalité. Et cette vraie personnalité n'a pas mis le nez dehors depuis au moins cinq ans. Mais, de fil en aiguille, je les vois plus souvent. C'est déjà un début...

Mais chacune de nos rencontres « rabouille » un je-ne-sais-quoi de tristesse que je porte au fond de mon être et qui n'appartient qu'à moi seule. Même en plein délire de *coke,* à Perkins, je pouvais la reconnaître et en entrevoir sa racine bien enfouie dans l'enfance. Tant que je n'irai pas voir, je ne connaîtrai jamais la paix. Je sens confusément la ressemblance entre l'enfance de mes enfants et la mienne. Mais je ne peux pas, pour le moment, aller plus loin.

Je vis tellement de problèmes en même temps et sur tous les plans... Je sens que la coupe est pleine.

Entreprendre une autre démarche encore plus douloureuse la ferait déborder. En attendant, je suis en
colère ! Et cette colère, je la retourne contre moi-
même. J'ai fait ce que j'ai pu. Mais le résultat n'est
pas facile à accepter : j'ai privé mes enfants d'un foyer,
d'une stabilité. Je les ai fait vivre dans un milieu
dysfonctionnel. Quand j'ai fait mon inventaire moral
à la Maisonnée d'Oka, j'ai énuméré aussi mes torts
envers certaines personnes. Mais les personnes à qui
j'ai fait ces torts sont des adultes capables de se dé-
fendre et d'exercer ou non leur consentement. Elles
peuvent pardonner ou m'en vouloir, ou encore essayer
de me faire tort à leur tour. Ce qui est grave, dans le
cas des enfants, c'est qu'ils n'ont pas choisi d'être dépendants de leurs parents. Ce sont des victimes inno-
centes.

Dans mon cas, les élevant seule pendant longtemps, je me sens coupable pour deux.

CHAPITRE 13

1987-1989
UN LONG CHEMIN :
L'AMOUR

Nuage rose

Même si pour le moment présent la vie ne s'annonce pas très rose, je suis sur une espèce de nuage rose intérieur qui me donne tout ce qu'il faut pour faire face à la musique. Je sens la joie immense de toute personne enfin libérée de la drogue. Ce sentiment soulève mon courage et me donne des ailes. Mais, après quelques semaines de sobriété, cela ne veut pas dire que je suis « toute là », en pleine possession de moi. Mes neurones sont encore dans le brouillard, et mes émotions sont aussi effervescentes qu'un essaim d'abeilles... Quand je suis inquiète, je rencontre des gens dans nos réunions qui me disent : « L'important d'abord ! Et l'important, c'est de demeurer sobre... Tout le reste va s'arranger avec le temps ». L'espoir, quel grand moteur !

Après ces quelques semaines de sobriété, je rencontre un homme... Intelligent, il manie les mots et les émotions de main de maître. Je suis séduite par cet être double qui se dit lui-même en dualité, mais capable d'aimer une femme autant qu'il peut aimer un homme. Nous nous voyons souvent autour d'un café. Je savoure nos échanges d'idées, d'opinions, de philosophies... Cela me donne une place que je n'ai pas souvent eue avec les autres hommes... À mon insu, cela me gèle aussi... Un répit momentané – je dis bien momentané – de ce qui me chavire le plus : mes enfants.

Un petit nid d'amour

Je travaille un peu plus. Nous nous voyons encore plus souvent : nous décidons de vivre ensemble. Tout nous promet le bonheur... Nous nous sommes installés dans un appartement d'un complexe urbain : un domicile aménagé avec goût, suffisamment spacieux pour que mon ami ait son bureau. La porte du hall d'entrée est munie d'un intercom. Il est impossible à quiconque de pénétrer dans le *building* sans y avoir été invité, ce qui me donne un repos, une certaine tranquillité... Il est très affectueux envers moi, tout comme moi envers lui... Et je retrouve le plaisir des discussions stimulantes et des échanges riches en perceptions originales...

Je suis assise sur mon nuage rose et je reçois cet amour comme un cadeau de la vie. Accepter sa dualité à lui, c'est aussi apprivoiser ce que je crois être la mienne. Le jeu des miroirs est commencé depuis notre première rencontre. En le regardant lui et en aimant ce qu'il est, je commence à aimer qui je suis. Mon plus grand souhait est que ce voyage extraordinaire dure et que je le vive jusqu'au bout.

L'illusion

Après un *cocooning* merveilleux, nous commençons à recevoir beaucoup ou, plutôt, il commence à recevoir beaucoup. Des gens qu'il aide à cheminer viennent fréquemment discuter à la maison. Ils sont heureux de me rencontrer. Lui semble heureux de me présenter à eux comme étant sa blonde. J'assiste à ces rencontres agréables. J'y prends plaisir. Je suis confiante. Avec moi, son rapport est le même.

Le soir : À chacun son ciel

Je joue toujours au *Nouvel Hôtel* dans la comédie musicale de Jean Blanchette, *À chacun son ciel*. Curieusement, les deux fois où j'ai joué dans une pièce qui met en scène May West, Marlène Dietrich et Marilyn Monroe, on ne m'a pas confié le rôle de Monroe. Du temps de *Phénomène M,* à Perkins, Louison Danis avait pensé aussi à moi pour interpréter Monroe, mais, grande intuitive, elle s'était vite ravisée et m'avait confié celui de Dietrich. Peut-être avait-elle senti la trop grande parenté entre nos vies et nos désespoirs... Et maintenant, je joue May West et Dietrich.

Dans le fond, c'est moins compromettant. Je ne peux pas crier au monde que je suis la petite Marilyn bourrée de complexes et, surtout, fatiguée de porter le poids des phantasmes qui appartiennent aux autres.

Le jour, je traîne un malaise. Je pressens je ne sais quel nouveau malheur. Mon ami s'occupe de plus en plus des autres. J'admire son zèle et sa sollicitude... Je mets mes *patterns* de côté. Je ne prends aucune substance pour geler mes émotions. Je ne joue pas le jeu du pouvoir. J'irai voir jusqu'au bout et à froid ce que je vais chercher dans cet être complexe et aussi perturbé que moi.

Notre relation s'effrite

Pour lui permettre de travailler, je demeure maintenant à l'hôtel, avec lequel j'ai pris certains arrangements, et je fais mes représentations avec la mort au coeur. Il vient me voir le jour à l'hôtel, seul ou avec d'autres. Je suis à bout psychologiquement, mentalement et physiquement. Je suis affectivement totalement désemparée... paralysée. Un jour Christiane, qui se doute un peu de ce qui se passe, vient me voir à l'hôtel. Je ne suis ni coiffée, ni habillée, ni maquillée. Quand je ne joue pas, je traîne en robe de chambre, je regarde la télévision, je feuillette des magazines et, surtout, je jongle... Je me sens absente de mon corps. Et comme si elle essayait de cacher un transatlantique derrière un sapin, Christiane me dit : « J'ai pensé qu'avec toutes ces représentations-là tu devais être très fatiguée... Ça me tente de t'offrir quelque chose qui te reposerait. Que dirais-tu si je t'invitais chez le coiffeur et après, chez Gautier ? Y a rien comme une bonne bouffe pour donner de l'énergie. » J'accepte. Le plaisir de se faire jouer dans la tête par quelqu'un d'attentif qui me chouchoute, s'occupe de moi et jase de tout et de rien, simplement, me sourit. Il faudrait inventer les coiffeurs, s'ils n'existaient pas.

Combien de femmes, pendant deux heures, reçoivent d'eux la seule attention qu'elles auront pendant une semaine entière ? Malgré mon état, à mon grand étonnement, je prends plaisir à sentir l'eau tiède qui baigne mon cuir chevelu, en même temps que ses mains massent doucement ma tête. Puis, pendant qu'il me coiffe, je vois dans le miroir le changement se produire. Évidemment, c'est un changement de surface qui ne me fait du bien que momentanément. Mais qui me fait quand même du bien. Après le dîner, je retournerai à l'hôtel pour une autre représentation.

Heureusement que Flo, mon ancienne complice de la rue du Parc-Lafontaine, est à la production et s'occupe aussi des costumes. Elle me regarde aller et s'inquiète pour moi... Mon histoire d'amour est absolument démentielle, à la mesure de ma névrose. Elle est devenue ma *dope*... Et, comme avec la *coke*, le soulagement est bien passager avant de vivre l'enfer.

Peu de temps après, j'apprends clairement que mon compagnon a effectivement une liaison. Exprimer tout le désarroi dans lequel je suis plongée est impossible. Je reçois cette nouvelle comme une gifle donnée avec force, une haute trahison de la vie... J'ai mis dans cette relation tellement de confiance et tellement d'espoir que je m'effondre, désemparée par le rejet et l'abandon. Il me faudra six ans pour me sortir de cette relation qui me tient comme une drogue. Je me sens incapable de survivre à cette vision idéalisée de l'amour qu'on a détruite impunément. Je suis en miettes. Plus rien ne tient, même pas la vie.

Heureusement qu'il y a les amies...

Je déménage avec Flo, sur la rue Ridgewood. Nous partageons un grand cinq pièces et demie. Deux chambres à coucher , un grand salon, une salle à dîner, une cuisine et un hall d'entrée suffisamment grand pour être considéré comme demi-pièce. Le loyer est plus que raisonnable. Nous ne sommes pas plus riches l'une que l'autre. À deux, nous en viendrons à bout. Je suis déprimée. La mort me suit comme mon ombre. Je fais mon métier du bout des lèvres « Ce serait tellement facile, en traversant la rue, de me jeter devant une voiture ou, mieux, un camion. Et vlan ! Fini France Castel et sa vie toute croche ! »

Je n'en peux plus !

Marie-Jan, une grande amie, m'offre d'aller faire une marche pour me changer un peu les idées. J'y vais bon gré mal gré. La marche me fait toujours du bien. On peut parler et j'en ai gros sur le cœur... Nous marchons vite. Je parle beaucoup. Je pleure à gros sanglots. Soudain, je vois un camion qui s'en vient rapidement. Marie-Jan le voit en même temps que moi et pressent une catastrophe. Je m'élance droit sur lui en pleurant. Marie-Jan court à ma poursuite. D'une main ferme, elle s'agrippe à l'arrière de mon manteau et tire de toutes ses forces vers elle. Je suis projetée en arrière juste à temps. Elle vient de me sauver la vie...

Nous sommes maintenant sur le trottoir. Je suis en larmes. Elle me dit doucement : « Tu ne peux pas continuer comme ça... Tu as besoin d'aide. Je connais quelqu'un d'extraordinaire. Elle s'appelle Nicole. C'est une thérapeute. Tu devrais l'appeler... » On ne peut pas dire que les thérapies m'ont réussi jusqu'à maintenant. Je ne parle pas de celle de la Maisonnée d'Oka, mais de mes sept ans de psychanalyse. Je suis sceptique... très sceptique. Marie-Jan me laisse le numéro de téléphone de Nicole, à tout hasard.

« Je ne peux pas continuer comme ça... C'est bien évident. J'ai commencé à consommer après deux trois ans de psychanalyse... À quoi ça sert ? Ça peut pas être pire que c'est là... Mais une autre thérapie ! De toute façon, j'peux bien essayer. Si ça fait pas mon affaire, j'y retournerai pas. C'est tout. Elle peut pas me garder de force... »

Je téléphone à Nicole, ma thérapeute. Je ne le sais pas encore, mais c'est le plus beau téléphone de ma vie et l'un des plus grands cadeaux que je me suis faits. Avec elle, j'accepterai d'aller voir les vieilles blessures de l'enfance, celles que j'ai voulu oublier pendant quarante-cinq ans...

Chapitre 14

1987-1989
UN LONG CHEMIN :
LE MÉTIER, LES DETTES

Mes anciens fournisseurs de *coke* se pointent tous les vendredis, au *Nouvel Hôtel.* Je suis bien loin du temps où ils me proposaient leurs meilleurs échantillons. À chaque semaine, ils me réclament ce que je leur dois : les trois quarts de ma paie. Et quand je fais une émission de variétés, mes autres créanciers font des saisies. Par le simple fait que je suis à *Ad Lib* ou à un *Démon du midi,* les gens s'imaginent que je viens de faire un cachet faramineux. La télévision donne cette impression... Et pourtant, la réalité est tout autre.

En cette première année, c'est le noir. Je pense à me sauver, tellement le harcèlement de mes créanciers est soutenu. Paulette Guinois m'aide. Chère Paulette ! Elle est bien à sa place à la Maisonnée d'Oka (maintenant devenue la Maisonnée de Laval). Elle sait m'encourager, faire voir le côté blanc du noir, me donner accès à ma propre force et, aussi, à la puissance de l'abandon.

Certains jours l'abandon est plus difficile que d'autres... Quand, par exemple, l'impôt me cherche, quand mes enfants ont besoin de moi, que je fais tout ce que je peux faire et que je sais bien que ce n'est pas assez. J'ai toutes les misères du monde à confier, à abandonner. Je me tape sur la tête. Je me juge coupable. Je n'ai besoin de personne pour me condamner. Je le fais sans merci et je pense même à m'exécuter : l'idée du suicide remonte souvent. Heureusement que l'envie de la *coke* est partie. Je serais sûrement déjà morte.

J'ai perdu beaucoup !

Même si je travaille régulièrement au *Nouvel Hôtel*, cette période est pour moi une période creuse. Dans le passé, j'étais habituée à plus de travail et, par conséquent, à plus de rentrées d'argent. Mais ces rentrées d'argent, je les ai largement dépensées, et plus ! Et avec la *coke*, j'ai négligé bien des obligations, comme les loyers, les assurances, les paiements de ma voiture, le téléphone, l'électricité, des emprunts à des amis et, enfin, les impôts. Je n'ai plus de caisse de retraite. Elle est passée avec le reste...

J'ai l'impôt à mes trousses... et certains autres !

Je dois mettre de l'ordre dans mes affaires. Je me trouve une nouvelle comptable, pour mettre mes finances à jour. Finances est un bien grand mot. J'essaie de retrouver mes papiers. Ils sont éparpillés à gauche et à droite. Il y a des caisses chez Christiane. Flo, mon ancienne voisine de la rue du Parc-Lafontaine, en a quelques-unes ; d'autres sont chez certains anciens propriétaires, qui pensaient peut-être pouvoir recouvrer leur dû, et plusieurs ont été égarées dans mes déménagements « rapides » où je partais avec ce que je pouvais. Je me fais discrète le plus possible, de peur que trop de personnes sachent où je demeure. C'est donc au bureau de cette comptable qu'arrivera ma correspondance. C'est elle qui, dorénavant, gérera mes finances. En même temps, elle essaiera de faire huit années de rapports d'impôts... Et moi, j'essaierai pendant ce temps-là de gagner ma vie et de bien faire mon métier.

Deux longues années...

C'est ainsi que, pendant deux ans, je me débats entre les huissiers, certains prêteurs, l'impôt et... les *pushers.* Je travaille de mon mieux. Je me fais un devoir, même à 103 °F de fièvre, d'arriver à l'heure. Je ne me donne pas le droit de manifester quelque délinquance que ce soit, ni le moindre retard. Cette attitude envers mon travail me permet, jour après jour, de rebâtir ma crédibilité et de rétablir la confiance qu'on avait en moi. C'est long, refaire sa réputation. Cela me prendra quatre ans pour qu'elle commence à être vraiment solide.

En attendant...

Je continue malgré tout. Et, un beau jour, le cinéma m'appelle par l'intermédiaire de la réalisatrice Léa Pool. J'ai un petit rôle dans son film *À corps perdu :* celui de Michelle. J'ai bien une petite expérience du cinéma... En 1974, je faisais Agnès dans *Tiens-toi bien après les oreilles à papa !* dont le scénario était de Gilles Richer et la réalisation, de Jean Bissonnette.

Mais, jusqu'à maintenant, ma carrière était branchée sur le spectacle et la télévision plutôt que sur le cinéma. La vie est drôle. Dans mes difficultés, elle m'envoie une confiance toute neuve que je reçois avec joie... Le milieu du cinéma me découvre... Je découvre l'actrice en moi...

Zoom in *sur la réalité*

Malgré le plaisir que j'éprouve côté métier, il faut bien me rendre à l'évidence... Je ne peux pas remonter le courant. Il y a trop de trous dans mes dossiers. Il y a trop d'années où je n'ai rien compté. Ma comptable tourne et retourne les quelques données qu'elle a, essaie de calmer les créanciers... Elle fait tout ce qu'elle peut. Et moi aussi. Nous sommes dans un cul-de-sac.

Au bout de deux ans, je peux à peine vivre avec les sous que je fais. Nous parlons de faillite. Il me faut un avocat. C'est le frère de Christiane, François, qui me représentera. Nous rencontrons le syndic. Je dois encore une fois raconter mon histoire, énumérer mes créanciers, déclarer les montants que je dois... C'est cuisant, humiliant. Je dois énumérer toutes mes dettes. Je me fais des ennemis parmi mes amis. Malgré la sollicitude de mes proches, je me sens seule, très seule. Je suis épuisée, soulagée, déçue, comme un soldat qui se serait bien battu, mais qui aurait perdu une bataille... Chose certaine, je n'ai pas perdu la guerre. Je n'ai même pas eu, un seul instant, le goût de prendre un peu de *coke* pendant ces moments difficiles.

Merci, Votre Seigneurie !

En 1989, je suis inscrite au rôle de la cour pour libération de ma faillite. Trois créanciers s'opposent à ce que je sois libérée. Nous arrivons tôt le matin au Palais de justice de Montréal. Je suis tendue, nerveuse. Nous attendons. François me représente toujours. Christiane, Léa, Flo et Martine, ma comptable, sont là. Paulette Guinois descendra d'Oka, en après-midi, au cas où elle aurait à témoigner de ma conduite. Nous attendons dans le corridor... Finalement, on nous dit que nous ne passerons qu'après l'heure du dîner. Nous sortons au soleil.

Que c'est bon, la lumière ! Nous descendons vers le fleuve à pied. La marche est très bénéfique pour contrer la nervosité. Et tout le monde fait de son mieux pour détendre l'atmosphère. Léa parle de son prochain film, François parle des bienfaits de la marche, et Christiane finit par louer une calèche. Et voilà que nous faisons le tour du Vieux-Montréal, au son des sabots ferrés. Notre conducteur, affable, nous raconte l'histoire de chacun des édifices sur son itinéraire. La première caserne de pompier... les sœurs ... la première brasserie...

J'écoute... Je sens toujours au fond l'angoisse qui pousse... Léa, elle, est dans son prochain film. Elle observe chacune des rues, vise de son œil-caméra chaque parcelle de ce décor. Christiane écoute d'une oreille distraite le cours d'histoire improvisé du cocher, et François, les yeux à demi fermés, pense sûrement à ce qui va se passer cet après-midi.

La justice n'attend pas

Nous rentrons à l'heure prévue et nous sommes appelés aussitôt. En entrant dans la salle, François demande le huis-clos, ce qui lui est accordé immédiatement, au grand mécontentement de deux des créanciers qui avaient amené des amis. Puis mon défendeur présente ses témoins. Ensuite, c'est à mon tour. Pendant au moins une heure et demie, j'expose ma situation et je réponds franchement aux questions qui me sont posées. La partie adverse me bombarde. Elle pense que j'ai fait beaucoup d'argent. Chiffres à l'appui, je mets mes créanciers devant l'évidence : je n'ai fait en tout et pour tout que 28 000 $ cette année, et, pour travailler, il m'en a coûté au moins 15 000 $ en commissions d'agent, en coiffure, en soins de beauté, en vêtements, en repas à l'extérieur, en taxis, etc. Métier oblige !

En cette deuxième année sans *coke,* je ne peux pas dire que j'ai abusé des mises en plis, des masques faciaux, des vêtements. Le métier que je fais en est un où il faut investir beaucoup pour sa personne. Je dois être à mon mieux quand je rencontre un réalisateur ou un metteur en scène susceptible de me confier un rôle. Donc, il faut que je prenne soin de ma peau, que j'aie une tête convenable et des vêtements qui me vont un peu mieux que ceux que j'empruntais l'année précédente. Et pour ce qui est des taxis et des repas, je fais attention. Je prends un taxi seulement quand je n'ai pas le temps de prendre l'autobus ou si je suis épuisée après douze à quinze heures de travail. Les repas à l'extérieur, eux, sont inévitables quand je répète matin, midi et soir pendant trois semaines, à quarante-cinq minutes en auto de chez moi... Ce n'est pas toujours facile de se rétablir avec un métier comme le mien !

Merci, mon Dieu !

Le juge mesure l'ampleur de mes dettes, comparée à la minceur de mes revenus. Devant l'état de mes finances, il demande à la partie adverse comment elle peut espérer en retirer quelque chose. Puis, il rend sa décision : libération immédiate de la faillite ! Mon cœur bondit dans ma gorge. La partie adverse sort en trombe de la salle. Mes amis m'attendent toujours dans le corridor. Je leur annonce la nouvelle. Tout le monde s'embrasse. Et nous descendons en joyeux cortège jusqu'au premier étage où nous allons, mon avocat, le syndic et moi, chercher mes papiers officiels de libération de faillite, pendant que mes amis nous attendent dans le hall du Palais de justice. En recevant mes papiers, à ma grande surprise, je tombe à genoux et les larmes coulent... Je remercie le ciel !

Nous rejoignons la bande, toujours dans le hall. En me voyant arriver, spontanément, tout le monde chante en chœur : « Elle a gagné ses épaulettes... » Et l'on m'applaudit ! Nous sortons pour aller fêter l'événement autour d'une bonne eau Perrier dans un petit restaurant du Vieux-Montréal. Je me fais la promesse que jamais de ma vie je ne revivrai une faillite.

Chapitre 15

1987-1989
UN LONG CHEMIN :
MES ENFANTS

La faute originelle

Malgré ma relation amoureuse qui me dévore toujours et mes grands problèmes financiers qui minent mes énergies, la pensée de mes enfants me tourne autour du cœur. Plus je dégèle, plus je me sens coupable. Je passe mon temps à me dire : « Avant, je me suis assez privilégiée dans mes besoins de *dope,* je les ai tellement privés ».

Je leur donne tout ce que je peux leur donner, tout ce que j'ai. Je suis manipulable à l'extrême. Ils en profitent. C'est normal. Mais ils ne sont pas les seuls. Des membres de ma famille, des amis en ont profité aussi. J'expie. C'est comme la punition après la confession. Ça ne m'aide pas vraiment et ça ne les aide pas non plus. Mais ça les soulage, et moi aussi. Il y a une grande différence entre être soulagée et être bien...

J'ai l'impression que je passe ma vie à me soulager. Je ne sais pas trop comment me faire du bien. Je réagis à ce qui me fait mal. Je me sens encore responsable du fait que mes enfants n'ont pas de père. Je me dis : « Une mère normale offre à ses enfants un père. Par le genre de vie que j'ai mené, je n'ai pas offert à mes enfants ce père dont ils ont tant besoin ». Je sens peser sur mes épaules la culpabilité d'Ève, la faute originelle. Je réagis. J'essaie de me soulager. Certains jours, je me révolte. Les hommes n'ont pas ce besoin d'offrir une mère à leurs enfants. La nature n'a pas pris de chance : c'est à la femme qu'elle a confié le soin de les porter et c'est souvent à elle que revient la tâche d'en prendre soin par la suite.

Mea culpa !

Ève a mangé la pomme. Les femmes sont éternellement coupables. Tout ce que le père n'a pas donné, c'est la faute de la mère. Mes enfants sont perturbés ? Tout est de ma faute !

Ma fille aussi a hérité de cette culpabilité d'Ève. Elle, elle se sent coupable d'avoir un père qui s'occupe d'elle. Elle se sent mal à l'aise, par rapport à ses frères, d'avoir vécu dans une maison confortable, en toute sécurité, pendant qu'eux devaient se débrouiller tant bien que mal, sans leur mère et sans leur père. D'ailleurs, le plus jeune le lui fait sentir parfois, en l'agaçant. Mi figue, mi-raisin, avec son humour bien particulier, Benoit lui rappelle qu'elle est privilégiée. Mais moi, je sais dans mon for intérieur que oui, elle a un père qui s'est occupé d'elle et qui s'en occupe encore. Mais, pendant plusieurs années, c'est de l'absence de sa mère dont elle a souffert. D'ailleurs, elle est encore chez son père. Elle me rend visite de temps en temps. Alors c'est la fête ! Après, c'est encore le départ... Le vide !

Benoit, lui, est toujours demeuré avec moi. Il a assisté à plus d'événements scabreux que mes autres enfants. Il a décroché de l'école et prend son petit joint de temps en temps. Ma sobriété le dérange. J'ai l'impression qu'il se sent trahi par moi. Mais il n'a pas encore accès à sa colère envers moi. Je sais qu'il y a droit. Il est en appartement avec des copains qui font problème. Dans quelques mois, Dominique, le père de ma fille, le prendra avec lui en Floride. Je pense que cela lui fera du bien d'être avec sa sœur, loin de Montréal et sous l'œil vigilant d'un homme. Mais, consciemment ou non, Benoit s'arrangera pour faire assez de frasques qu'on le ramènera en vitesse au Québec...

David : un drôle de hasard

David me téléphone de Sherbrooke, où il étudie. Il est content. Lui et ses amis se sont trouvé un logement suffisamment spacieux pour leur permettre d'étudier sans trop se piler sur les pieds. Il m'expli-

que comment il s'organiseront pour avoir une qualité
de vie intéressante, comment ils répartiront leurs dépenses. Je le trouve courageux. À la fin de son appel,
je lui demande dans quel quartier ils ont trouvé ça. Il
me répond fièrement : « C'est dans le quartier est, sur
la rue Murray, en face de l'hôpital Saint-Vincent-de-
Paul ». Je suis éberluée. C'est à deux maisons de celle
où j'ai passé mon enfance, en face de l'hôpital où je
suis née.

Ce téléphone me laisse songeuse. Mon enfance...
David... Son père lui manque. Il rêve d'aller le voir.
Il l'idéalise tellement qu'il s'en fait presque un dieu.
Il ne le connaît pas. Mais il sait que c'est de lui qu'il a
hérité de son talent musical, de sa froideur apparente
et de son amour des femmes, qui fait très « Alberto ».
Lui non plus n'a pas encore accès à sa colère envers
moi. Comment le pourrait-il ? Je suis son seul pôle
affectif depuis toujours. Sa seule sécurité émotive.
Comment pourrait-il prendre le risque de me perdre ?
Moi, je sais bien qu'il ne me perdrait pas. Mais lui, il
ne le sait pas encore... Mon enfance... Je n'ai pas plus
accès que lui à ma propre colère.

Et pourtant, combien ce serait bénéfique pour
moi d'y avoir accès. Je me sens coincée entre ma propre enfance et celle de mes enfants. Et je devine bien,
au fond de moi, que la clé de ma délivrance est cachée dans cette colère et aussi dans le pardon. Cela
semble paradoxal de parler à la fois de colère et de
pardon, mais les deux sont intimement liés. Un jour,
il me faudra vivre cette colère par rapport à mon enfance, pour pardonner. Et c'est en pardonnant aux

autres que je pourrai me pardonner ce que moi, adulte, j'ai fait vivre à mes enfants. Mais je ne suis pas encore rendue là. Je navigue encore du mieux que je peux entre les vagues de fond de ma culpabilité.

De la grande visite

Je suis en pleine répétition de *Pantoufle,* d'Alan Ayckbourn. Cette pièce, mise en scène par Béatrice Picard, sera à l'affiche au Souper-Théâtre Belle-Montagne, à Saint-Jean-de-Matha. En revenant d'une répétition, je reçois un téléphone de ma fille qui m'annonce qu'elle viendra me voir à l'été. Nous planifions la date de son arrivée. J'ai le cœur en joie.

Un beau cadeau de Gaétan

Je n'ai pas de voiture pour me déplacer. C'est plus difficile quand je joue à l'extérieur de Montréal. Mon grand ami Gaétan téléphone d'Alma. On se donne les nouvelles d'usage. Je ne vais pas très fort. Je suis encore secouée par ma relation amoureuse, mes problèmes de subsistance. Il me dit qu'il vient à Montréal et qu'il voudrait me voir. Il vient avec quelqu'un. J'ai toujours du temps pour lui. Je l'attends. La fin de semaine suivante, il arrive chez moi. À peine entré, il veut que j'aille voir à l'extérieur. Alors nous sortons.

Devant la porte, il y a une *Pinto :* « Elle n'est pas jeune, mais je l'ai toute refaite, par temps perdu, c't'hiver. J'arrive de chez nous avec. Elle roule comme un ‹ moène ›. J'ai pensé que ça te serait utile pour aller travailler... », dit-il, en me donnant les clés. Je ne sais pas quoi dire. J'éclate à penser que cet homme, qui a deux emplois pour joindre les deux bouts, a pris le temps qui lui restait pour remonter cette voiture pour moi ! C'est un merveilleux cadeau !

C'est vrai qu'elle roule comme une neuve. Et je m'en servirai à souhait. Je pourrai me rendre au théâtre cet été, aller chercher ma fille à l'aéroport. La liberté. Je me trouve un petit chalet à Saint-Jean-de-Matha. Pour diminuer les coûts, je m'organise avec un autre comédien. Nous louons à deux. Quand on joue à l'extérieur de Montréal, on nous alloue un *per diem,* une petite somme supplémentaire pour payer les dépenses. Je ferai attention à mes sous. Je vivrai avec mon *per diem* en attendant que ma fille arrive. Comme ça, je pourrai dépenser un peu plus pour elle.

Saint-Jean-de-Matha

Nous jouons enfin. Je suis installée dans le chalet, vraiment tout petit. La nature est toujours belle, mais, dans cette région de Lanaudière, elle l'est encore plus. De nombreux amis et membres de ma famille viennent voir la pièce. Les comédiens ont droit à un certain nombre d'invitations que j'offre aux plus proches et aux plus démunis parmi eux. À ceux qui veulent goûter un peu plus à la « santé » de la campagne, j'offre l'hospitalité. Je n'ai pas les moyens de les nourrir. Ils apportent leur bouffe ou collaborent aux emplettes. Quand mes enfants viennent me voir, c'est bien différent. Je ne regarde pas à la dépense et je défonce souvent mon budget de belle façon. Je suis contente d'être avec eux et de leur permettre un séjour à la campagne.

Le grand coup !

Enfin, « la Dominique » est arrivée... Après les em-
brassades généreuses, nous papotons comme deux
vieilles amies. Elle me donne des nouvelles de son
père, de sa vie là-bas. Elle est bien... Curieuse, je lui
demande : « Et tes amis... Il doit bien y en avoir un
que t'aimes plus que les autres ? » Ma question la surprend à moitié. Elle me toise, comme pour savoir si
elle peut lâcher le morceau. Puis, c'est le grand coup :
« J'ai fait l'amour. C'est super ! » Elle a seize ans. Je
suis « à terre ». L'air de rien, je dis : « Ah oui ? Raconte-moi ça... » Très à l'aise, elle se met à en parler
de long en large pendant que moi je me cherche une
contenance pour cacher l'émotion qui m'envahit de
la tête aux pieds... Ma petite Dominique... ma petite
fille ! Je suis bouleversée. Et pourtant, j'en ai vu
d'autres. Je ne sais pas ce que cette révélation remue,
mais ça remue fort ! Un sentiment d'impuissance mêlé
à une sorte de deuil... Pour ne pas que Dominique
s'effarouche ou qu'elle s'abstienne dorénavant de me
faire d'autres confidences, je me campe dans le rôle
de la mère tout à fait *in* et lui demande tout simplement : « Tu prends sûrement la pilule ? » « Justement,
non. Je voulais t'en parler. » Je saute sur le téléphone.
Ça soulage, l'action ! J'appelle mon médecin, j'obtiens un rendez-vous rapide. Je regarde ma fille. Je
suis devant une jeune femme.

Chapitre 16

LA THÉRAPIE

C'est le jour de ma première entrevue avec ma thérapeute. Je suis déjà devant chez elle. Je monte l'escalier qui mène à son bureau. Je passe devant la porte d'un denturo et je continue jusqu'au bout du corridor, comme elle me l'a indiqué. Sa porte est au fond. J'entre à l'heure juste.

Elle est là, au centre de cette petite pièce. Je m'asseois dans un coin. Je l'observe : « Elle est bien jeune... Est-ce qu'elle va pouvoir m'aider ? » Puis j'examine les lieux. La pièce est petite. Des matelas en caoutchouc-mousse longent les murs recouverts d'isolant coussiné. Au centre, un matelas double couvre le plancher tandis que des coussins sont dispersés ici et là.

Je suis sur mes gardes pour une bonne raison : ma dernière thérapie a duré sept ans, dont quatre avec une psychanalyste. J'y étais allée, référée par une amie qui était elle-même en thérapie avec cette psychanalyste. Le rejet que j'y ai vécu a été plus que dévastateur. C'est d'ailleurs à ce moment-là que j'avais commencé à consommer. Et voilà que j'arrive chez Nicole référée par une autre amie. Je le lui dis en arrivant. Mais je sens qu'avec elle, ce ne sera pas pareil. Son sourire me dit déjà qu'elle m'aime et que jamais elle ne me demandera rien. Je ne veux pas dire qu'elle m'offrira les séances gratuitement. Non. Je veux tout simplement dire qu'elle ne me jugera pas, ne tentera pas d'orienter mes réflexions, ne cherchera pas à prendre le pouvoir. L'autre thérapeute avait fini par avouer qu'elle avait commis une erreur en acceptant de me suivre. Mais cet aveu n'est survenu qu'après quatre longues années de thérapie !

– Raconte-moi ton enfance.
– Ah non ! Dis-moi pas qu'il faut que je recommence ! Mon enfance, mon enfance... combien de fois l'ai-je racontée, mon enfance ? À quoi ça m'a servi de raconter mon enfance ? Rien qu'à voir, on voit bien que ça a servi à rien. Y a juste à regarder où je suis rendue... Incapable de vivre... La peur d'être folle... Coupable de tout... Toujours en train de m'ajuster à tout le monde... J'ai pas besoin de retourner là encore une fois...

« Envoie, France, me dis-je, ajuste-toi encore une fois. Tu sais comment, d'abord. T'as toujours fait ça, t'ajuster. Fais plaisir à la thérapeute. Ajuste-toi. C'est ta première séance. Il faut bien qu'elle sache d'où tu viens... »

Je commence donc par les faits civils. Je débite presque mon acte de naissance.

– Je suis née, Francine Bégin, le 31 août 1944, à Sherbrooke. Puis, j'ajoute : Je suis la quatrième d'une famille de huit, l'enfant du milieu. Ma mère ne voulait pas en avoir autant. Sa planification familiale a été contrecarrée par cette quatrième grossesse. Ma grand-mère avait de l'argent et c'était une femme habile. Elle a en quelque sorte négocié ma naissance avec ma mère, en lui disant : Si tu la gardes, je m'en occuperai... C'est comme ça que ma mère m'a gardée. Mais elle n'avait pas fini d'avaler la pilule... Je me souviens, j'étais toute petite. Je l'entends encore me dire : je voulais trois enfants, mais après toi, j'ai fini par m'habituer... Elle me disait ça, sans méchanceté aucune. Elle pensait que c'était déjà assez... Et c'était son droit de ne pas en vouloir d'autres... Ma mère avait été adoptée par ma grand-mère.

Nicole m'écoute avec attention. L'expression de son visage est douce, chaleureuse, accueillante, comme pour m'inviter à poursuivre...

– J'ai passé mon enfance avec l'impression profonde de ne pas avoir ma place, à me sentir obligée d'en faire plus chez nous, pour impressionner. J'ai passé mon enfance à dire oui, à répondre à tout ce qu'on me demandait avec le plus de talent possible, à m'ajuster aux désirs des autres. Et après, j'ai fait la même chose en dehors de la maison pour me faire remarquer. À l'école, j'ai eu des notes particulièrement brillantes. J'ai eu des honneurs. J'ai joué dans à peu près toutes les pièces de fin d'année. Première en enseignement ménager. Première en couture. J'ai gagné un concours d'épellation. J'ai même été mairesse de l'OTJ. C'est bien simple : j'ai tout fait pour capter l'attention, pour sentir que j'avais ma place. Je suis même tombée malade pour avoir l'attention de ma mère...

Je suis fatiguée de raconter mon histoire. Je suis arrivée ici enragée « noir » contre moi, depuis des mois. Je ne sais pas quoi faire avec ça. J'ai peur d'être folle. Je suis sûre d'être folle. Je n'ai plus aucun amour pour mon métier. Je suis coincée entre la culpabilité et la réparation. Et je dois encore répéter mon histoire !

– Tombée malade ?
– Ma grand-mère me gardait souvent. D'ailleurs, c'était comme si j'avais deux maisons. Une à Coaticook, chez mes grands-parents, et l'autre, à Sherbrooke, chez mes parents. Je me sentais souvent comme amnésique. Je n'avais pas de place à moi.
– Parle-moi de ta mère...
– Ma mère ? C'était une avant-gardiste, une marginale, mais qui était obligée de vivre selon les normes de la religion et de la société des années quarante. Elle était

instruite. Elle avait une très belle voix. Elle rêvait de
chanter l'opéra. Elle était championne de tennis, aussi.

– Ton père ?

– Mon père ? C'était un artiste ! Il jouait du piano.
Un grand musicien. J'étais sa confidente. Je l'écou-
tais jouer du piano. Je regardais ses dessins. Des fois,
il peignait des œufs. Sa chambre était souvent en désordre. Plongé dans ses idées ou dans ses dictionnai-
res, il ne la voyait pas.

– Sa chambre ?

– Oui. Sa chambre. Ma mère avait toujours un nou-
veau-né dans la sienne. Mon père était un grand ma-
gicien. Il faisait des tableaux sur les murs de la maison.
C'était un artiste. Ses affaires n'allaient pas toujours
très bien... Ma grand-mère aidait... jusqu'au jour où
elle s'est « tannée » ... Là, ça s'est mis à aller très mal.
Mon père achetait des coffrets d'opéra à ma mère, aussi
des déshabillés très chers. Mais il n'y avait rien dans
le réfrigérateur. Il a fait faillite. *Tony the Great,* c'est
comme ça qu'on l'appelait. Ç'a été son bas-fond... On
a perdu notre belle maison. On a été obligés de déménager à Tétreaultville, sur la rue Sainte-Claire.
Dix dans un logement de six pièces...

– Quel âge as-tu à ce moment-là ?

– Douze, treize ans, mais je ne voulais pas rester là ! Il
fallait que je trouve le moyen de partir. Ça n'avait pas
de bon sens. Les uns sur les autres. Tout le monde devait se débrouiller. Moi, j'ai appelé ma grand-mère.
Impossible d'étudier dans cette maison-là. Alors elle
m'a envoyée au couvent de Saint-Gabriel de Brandon,

où mon amie Johanne était déjà pensionnaire. J'ai même été l'Immaculée Conception...

Nicole rit. Son rire est amusant, communicatif. L'atmosphère est plus détendue. Je finis par rire aussi.

– Je jouais ce rôle-là dans la pièce des finissantes. J'avais une phrase solo à chanter, une seule. Et je suis restée immobile pendant des heures et des heures dans une grotte naturelle où je faisais une apparition. Je n'ai pas senti le temps passer. J'étais absente de moi. Mon amie Johanne pleurait, tellement elle était émue. Mais, le lendemain, j'étais punie...

– Punie ?

– Oui. J'avais toutes les lèvres gonflées, pleines de feux sauvages. Je me sentais coupable.

– Coupable de quoi ?

– Ben... coupable. Juste coupable. J'étais habituée. J'ai été souvent punie en faisant des séances.

– Ah... oui ?

– Ben oui ! Par exemple, je sais pas... Je devais avoir huit, neuf ans... J'avais été choisie pour jouer le « Petit mousse ». J'avais un solo. C'était une séance importante. Toutes les familles étaient invitées. Je l'avais déjà dit à la maison et ils m'avaient assurée qu'ils viendraient. Mais, pendant une répétition, la sœur Ida était très nerveuse, et nous autres aussi. Moi, j'avais mal au cœur tellement j'étais énervée. J'ai levé la main pour sortir de la classe. La sœur ne voulait pas me laisser partir. Finalement, je suis partie en courant, la main sur la bouche. J'ai été malade dans le corridor. Elle m'a fait nettoyer mes dégâts. J'ai été encore plus malade. Elle m'a punie en m'enlevant mon rôle dans la séance. Pas de récital pour ma famille. J'ai eu la honte de ma vie. Je me suis sentie assez coupable... et punie aussi !

– Coupable de quoi ?

– J'sais pas... d'avoir été malade ! De pas avoir rempli ma promesse face à ma famille...

– Au couvent de Saint-Gabriel de Brandon, t'en-nuyais-tu de chez vous ?

– Je pensais pas... Mais je devais m'ennuyer parce que, au bout d'un an et demi, j'ai développé une crise d'ap-pendicite. Ma mère est venue me chercher. J'suis ja-mais retournée après...

– Tu es allée à l'école à Montréal ?

– Après avoir été opérée, j'ai commencé à travailler presque tout de suite en sortant de l'hôpital. C'était chez le curé qui était le propriétaire de notre loge-ment. J'te l'ai dit : il fallait qu'on se débrouille pour payer les dettes qu'on avait. J'suis pas restée longtemps là. J'ai cherché un autre emploi. À quatorze ans et demi, je me suis trouvé un emploi de secrétaire. J'avais presque la scolarité qu'il fallait. Mais je n'avais pas les diplômes ni l'âge légal pour travailler. J'ai toujours été débrouillarde. J'ai truqué mon *curriculum*. Je leur ai dit que je savais la sténo, la dactylo. À m'entendre parler, j'aurais même pu être comptable. Après avoir eu l'emploi, j'ai suivi des cours du soir. Veux-tu que je continue ?

– Si tu veux...

– À quinze ans, j'ai rencontré mon premier homme, un Italien. Au bout de six mois de fréquentations, nous nous sommes mariés. Il avait vingt-cinq ans. J'avais quelqu'un qui m'aimait, moi. Ma mère s'était objectée. J'étais amoureuse. J'ai défendu cet amour-là comme une lionne. Je l'ai menacée de partir même si elle ne me laissait pas me marier avec lui. Et elle m'a laissée partir. Mais pour moi l'amour, c'était une table avec une nappe blanche, des chandelles, de la musique douce. Un peu comme dans les films de Doris Day. J'ai vite perdu mes illusions...

J'arrête de parler. Nicole attend un peu, puis elle me demande si je veux revenir. Nous regardons nos agendas. Nous choisissons la date qui nous convient. Je reviendrai.

Après cette première rencontre, je sens une petite ouverture. Malgré mes résistances à raconter ma vie, j'éprouve une sorte d'espérance. Je ne suis pas absolument certaine que ça va fonctionner, mais je fais confiance. C'est ainsi que commence cette démarche pendant laquelle, à chaque semaine, j'irai faire une séance de deux heures à ce petit bureau au fond du couloir. J'irai « cracher », comme j'ai coutume de dire. Ce sera souvent mon seul refuge où, accompagnée, j'irai voir les vieilles blessures que j'ai tant essayé d'engourdir en me gelant.

Chapitre 17

LA REMONTÉE

Le petit rôle que m'avait confié Léa Pool dans son film *À corps perdu* a fait son chemin dans le milieu du cinéma. Jacques Leduc est sur le point de réaliser le film *Trois pommes à côté du sommeil,* dont il a écrit le scénario en collaboration avec Michel Langlois. Un très beau film auquel l'astrophysicien Hubert Reeves participe. J'y décroche le rôle de Jeanne, un personnage sympathique, une tante extraordinaire. Dans ce film, je joue dans une scène seulement, mais c'est une très grande scène en intensité et en durée.

Puis, j'interpréterai le rôle de Marie dans *Blanche est la nuit,* une réalisation de Johanne Prégent tirée d'un scénario d'Yvon Rivard. J'y jouerai le personnage d'une directrice d'école qui revoit sa protégée. Je continue à faire des émissions de variétés, des *talk shows,* et me prépare à jouer au Centre culturel du lac Masson dans la comédie musicale de Marc Legault, *Vacances au Club Med,* dont Bertrand Petit a fait la mise en scène. C'est merveilleux ! Je n'ai pas besoin de forcer, de faire des téléphones, de solliciter. À ma grande surprise, ma carrière a l'air téléguidée...

Je sais que c'est facile pour moi de travailler quand je suis vraiment dans un urgent besoin, comme j'ai déjà su comment acheter l'amour des autres par des cadeaux ou de la drogue. Mais travailler sainement, en faisant tout simplement ce que j'ai à faire, sans le défaire, c'est tout un apprentissage. Et ça ne se fait pas du jour au lendemain.

Je suis des cours

Cette nouvelle carrière, au cinéma, a commencé par des petits rôles, mais qui deviennent maintenant de plus en plus importants. Je sens le besoin de travailler mon côté comédienne. Anne-Marie Alonzo, cette grande amie poétesse, éditrice et « poème en soi », me suggère de demander une bourse de perfectionnement tout en me promettant son aide pour préparer mon dossier : *curriculum vitae,* formulaire d'inscription, références... Je décide de courir le risque et de faire confiance.

J'obtiens cette bourse et m'inscris aux ateliers de Warren Robinson. Je vais même chez Pol Pelletier pour développer cette actrice en moi qui, je dois l'avouer, sait jouer dans la vie, mais peut encore en apprendre sur la scène.

Quelqu'un qui me fait du bien

Je rencontre souvent Anne-Marie Alonzo. Elle travaille présentement à la sortie du livre de Cécile Tremblay-Matte, *La chanson écrite au féminin*. Le titre dit bien ce que c'est : « l'histoire des femmes auteures ou compositeures dans la chanson du Québec et du Canada français, de 1730 à 1990 ». Et je suis fière d'en faire partie...

Anne-Marie Alonzo est une personne que j'aime beaucoup et que je respecte énormément. Clouée dans un fauteuil roulant depuis l'âge de quatorze ans, elle a eu le courage d'aller se chercher un doctorat ès Lettres et partage la responsabilité de la direction des Éditions Trois avec son associé, Alain Laframboise. Et maintenant, elle est aussi productrice du Festival de Trois qui a lieu à la Maison des arts de Laval pendant l'été. Elle s'est donné comme mission de faire connaître des œuvres de femmes talentueuses.

Je parle beaucoup avec elle. À mon grand étonnement, elle me fait confiance. Je suis encore plus étonnée quand nos discussions prennent une tangente intellectuelle. Elle m'écoute et tient compte de ce que je dis. Je réalise que mes arguments sont pris au sérieux et, surtout, sont valables à ses yeux. Quel bonheur ! Que mon intellect soit valorisé par quelqu'un d'aussi solide me fait un bien immense. Surtout qu'en cette période, mon estime de moi est très à la baisse.

Mais ce n'est pas uniquement pour cette raison que j'apprécie nos entretiens. Sa force et sa richesse de cœur rehaussent à mes yeux l'humanité. Son courage m'aide énormément à faire face à mes propres problèmes, qui deviennent beaucoup plus petits à côté des siens.

En cet été 1990, je demeure dans le Nord où je joue *Vacances au Club Med.* Entre les représentations, je me rends souvent à Laval pour répéter la lecture publique des textes poétiques de Marie Savard... une femme extraordinaire pourvue d'une intelligence vive et d'une sensibilité féconde, et qui écrit les « vraies affaires ». En août, je ferai le même trajet pour les répétitions de *Terre de feu,* un livret de Michele Allen sur une musique de Catherine Gadouas. J'aurai plaisir à y jouer le rôle de Mary Shelley et à me sentir entourée de femmes de talent.

Une histoire inventée : *la grande aventure.*
Cet été est rempli de rebondissements. Et le téléphone de Marc-André Forcier en est un de taille. « Je cherche un personnage que, peut-être, vous pourriez faire... » Cette phrase simple, dite au rythme lent du débit de Forcier, me fait l'effet d'une bombe. Je connais très peu Forcier. Je l'ai rencontré une fois, il y a longtemps. Il venait de sortir son film *Au clair de la lune.* Une vraie chance pour moi ! Depuis un certain temps, le cinéma semble avoir besoin de comédiennes-musiciennes ou de chanteuses-comédiennes. Plusieurs des rôles que j'y ai joués sont reliés à la musique. Marie, dans *Blanche est la nuit* avait été professeure de danse, Michelle, dans *À corps perdu*, était violoncelliste et, maintenant, dans le film de Marc-André, Alice chantera et jouera du piano. Quand on fait du *casting* au cinéma, on recherche souvent l'artiste très

près du rôle. Mais Alice, ce n'est pas seulement Alice chanteuse et pianiste...

Quand on me demande d'interpréter un rôle, je cherche maintenant quelle partie de moi lui ressemble, et je ramène de cette partie l'énergie nécessaire à animer le personnage que j'incarne. J'apprends à me connaître. Des fois, je me dis : « Voyons ! Comment ça se fait qu'Alice réagit comme ça ? » C'est parce que cette partie de moi réagit comme ça, partie que je ne connaissais pas avant. Et si Marc-André me dit : « Alice n'est pas comme ça », je dois supprimer cette réaction qui ne ressemble pas à celle du personnage et exprimer celle d'Alice conçue par Forcier. Mais avant d'être capable de me défaire de ma propre réaction, il me faut regarder ce côté de moi qui réagit comme ça, et le travailler. Une vraie thérapie ! Le jeu dépend toujours de l'énergie avec laquelle je joue. Et cette énergie, je vais la chercher à l'intérieur de moi, sinon je ne pourrais pas passer ni à la scène ni à l'écran. Personne ne croirait les personnages que j'incarne si je jouais à l'extérieur de moi. Mais il ne faut pas que je me trompe. Il ne faut pas que je m'identifie au personnage, comme je l'ai fait avec Stella Spotlight de *Starmania.* Chaque soir, elle partait avec une énergie suicidaire. Elle se sentait un peu trop vieille, elle revenait au *showbiz,* elle s'en retournait... Elle ne voulait pas... Je m'y suis identifiée complètement. J'ai commencé un petit peu la drogue. Trop près du personnage et pas assez de technique et de vécu. Maintenant, c'est différent avec Alice. C'est tellement simple. Face au désir, c'est le personnage le plus franc que j'aie eu à jouer. Elle est très près de son corps.

C'est simple pour elle. Mais elle est en amour avec un gars plein de principes et qui veut la respecter. Dans ce rôle-là, je transpose toute la capacité de m'ajuster que j'ai développée depuis depuis mon enfance, parce qu'Alice s'ajuste elle aussi. Elle est prête à l'attendre, elle l'aime. Mais elle déborde de désir. Son corps déborde. Et le mien aussi déborde de partout, à un point tel qu'à un moment donné je ne sens plus mon corps. Et quand Forcier me dit « qu'Alice a le péché écrit dans la face », je m'y oppose à mon corps défendant. Alice, c'est la partie sensuelle, gourmande et saine de ma propre sexualité. Ce qui est moins sain, dans le cas d'Alice, c'est le contexe de cette sexualité, un contexte de contradiction. Elle est sans religion précise, pleine de vitalité sensuelle et elle tombe amoureuse avec la pruderie en personne renforcée par des principes religieux. Deux mondes diamétralement opposés ! C'est cette opposition qui tisse la trame de la misère d'Alice. Sans le cinéma, je n'aurais pas rencontré Alice et je n'aurais peut-être pas pu nommer cette partie de France qui est Alice. Le cinéma m'apprend beaucoup sur moi et sur la vie, cette vie qui me passionne plus que tout !

Le cinéma : une deuxième thérapie

Je fais ce que j'ai à faire et, phénomène nouveau, je ne le défais pas. Ne serait-ce que parce que mon métier m'aide à grandir, ce n'est pas futile : c'est ma responsabilité. Je ne suis pas encore dans le plaisir. Je suis en train de cheminer. Quand on me donne un rôle, je l'étudie en me disant : « Où est-ce en moi ? Avec quelle énergie, avec quelle partie de moi faut-il que je travaille ? »

En thérapie...

Je travaille sur tous les fronts. Même si, en thérapie, j'en suis encore à mes premiers balbutiements avec Nicole, je creuse très fort. Ça fait mal. Certains jours, j'ai le sentiment d'avancer. D'autres, je suis en pleine débâcle. Je me bats contre moi-même. Je n'ai pas encore accès à la vraie colère. Celle qui fait du bien. Celle qui est juste...

Chapitre 18

LA REMONTÉE :
LA THÉRAPIE

Cet après-midi, je me tortille sur ma chaise. Nicole attend. Je suis bouleversée.

– Cette nuit j'ai fait un drôle de rêve.
– Ah oui ?
– Je pourrais même dire que c'est un cauchemar.
– Comment ça ?
– J'étais petite fille. Avec mon père, dans le jardin. On faisait des jeux.
– Ah oui ? Quelle sorte de jeux ?
– Des drôles de jeux… J'étais couchée sur la terre du jardin. Mon père m'entourait tranquillement de terre. L'atmosphère était très bizarre… Je n'aimais pas ça. Je

ne voulais plus jouer. J'ai fermé les yeux. Je me suis mise à parler aux anges... J'oubliais mon corps... Tout à coup, j'ai entendu la voix de mon père. Il n'était plus à côté de moi. J'ai ouvert les yeux. Il était en train d'essayer de se pendre avec sa cravate, au seul arbre du jardin. Je me suis levée. Je me suis mise à courir. Derrière moi, je l'entendais dire : « Pourquoi je fais ça ? Pourquoi ? »

— Et à quoi faisait-il allusion d'après toi ?

— Je ne sais pas... Je venais d'ouvrir les yeux.

— Et puis...

— En courant, je suis tombée. Je me suis fendu le front. Je me suis réveillée. Ça sonne de se fendre le front, même dans un rêve, tu sais.

Nicole sourit. Ça me fait du bien de la voir sourire.

— Parle-moi de ton père.

— J't'en ai déjà parlé de mon père. Mon père... mon père nous aimait. Si tu voyais les lettres qu'il m'écrivait, jusqu'à peu de temps avant de mourir, tu verrais comment il nous aimait. Tu sais, quand mon père est mort, j'me suis gelée comme une « bine ». Tout ce à quoi j'ai pensé quand j'ai appris qu'il était mort, c'est : « mon complexe d'Œdipe vient de se régler ». À son enterrement, j'ai même pris du *Ritalin,* en plus de la *dope.* Je le regardais descendre dans le trou, figée... En dedans, j'étais plus morte que lui.

— Ta mère...

— Ma mère, elle vit encore. Je vais la voir.

– Quand tu étais petite ?

– Quand j'étais petite... Ben... C'est une femme qui avait des rêves. Tu sais, on connaît nos mères, mais on ne connaît pas beaucoup les femmes dans nos mères. Moi, ma mère, après moi, elle en a eu quatre autres. Elle en avait plein les bras. C'est mon père qui s'occupait le plus de moi. Et mes grands-parents. Mon grand-père, le père de ma mère, c'est le seul homme dont je me suis sentie vraiment aimée. Mon père, lui, nous aimait, mais c'était pas pareil. Tandis que... Une grande confiance nous unissait, mon grand-papa et moi. Et une grande complicité... J'allais avec lui percevoir l'argent que lui rapportaient ses loyers, l'intérêt sur l'argent des prêts. On cachait dans la cave le fromage puant qu'il aimait, et que ma grand-mère haïssait par-dessus tout. On était les deux seuls à savoir où c'était... Tu sais, il était dans les Lacordaires. À chaque année, ou à tous les deux ans, j'me rappelle plus trop, il renouvelait sa promesse de ne pas boire pendant une certaine période. Mais, avant d'entreprendre une autre période sans boire, il réfléchissait en prenant un petit verre. Et ça augmentait, ça augmentait. Ma grand-mère finissait par crier au secours. Je retournais chez ma grand-mère. J'étais la seule à être capable de le ramener. J'avais cinq ou six ans. Mais il me faisait confiance...

– Cinq ou six ans ?

– Dans les situations extrêmes, j'ai toujours été bonne. C'est dans la vie ordinaire que j'ai toujours eu de la misère. J'ai toujours vécu entre deux feux. J'ai toujours négocié pour survivre. Je me sens seule depuis longtemps, très longtemps. Je me débrouille...

Je me sens plus calme. Je suis épuisée. Nicole note l'heure de notre prochain rendez-vous. Je viens encore de laisser aller un peu de fond. En rouvrant la blessure, je libère le poison qui est encore dedans. J'espère qu'un jour elle sera vidée complètement et qu'il n'en restera que la cicatrice bien franche, bien nette... sans écume et sans amertume.

En attendant, petit à petit, je prends conscience que, parmi les torts que j'ai pu faire à mes enfants, plusieurs ressemblent à ceux qu'on m'avait faits d'une certaine manière. J'ai transposé sur eux ce que, moi, j'ai vécu tel que je l'ai perçu... C'est pénible de faire la paix, de reconnaître tout ce dont j'ai manqué étant petite fille et d'être mère en même temps. J'ai du mal à avoir accès à ma révolte contre ma famille, parce que je reconnais ce que j'ai transmis à mes enfants. En même temps que je vis la douleur de regarder ce champ dévasté de mon enfance, je vis la culpabilité de ce qu'ont subi mes enfants.

Je dois faire le ménage aux deux places si je veux connaître la paix. Mais, pour avoir accès à mes besoins de petite fille, il me faut reconnaître le mal que j'ai fait. D'une part, je viens d'un milieu dysfonctionnel et je suis révoltée. D'autre part, je suis une mère de trois enfants à qui j'ai offert une famille dysfonctionnelle. Avec Nicole, doucement j'apprendrai que ce que j'ai fait était seulement ce que je pouvais faire. Je devrai pardonner à ceux qui, eux aussi, n'ont fait que ce qu'ils pouvaient faire, avant de pouvoir me pardonner. Quand je dis « pardonner », je dis pardonner du fond du cœur. C'est difficile de pardonner quelque chose de presque impardonnable et, surtout, à soi-même. Mais j'apprendrai aussi à faire la juste part entre les torts qui me reviennent vraiment, à moi, et les autres. Quand mes enfants sont en difficulté, je les écoute. J'essaie de les respecter dans leur cheminement. Ce n'est pas toujours facile... mais ça se fait. Selon ce qui survient, je parle de David, de Benoit ou de Dominique en thérapie. J'essaie de voir clair.

Lors d'une des séances suivantes, je parle à Nicole de l'inquiétude que j'éprouve pour l'un de mes fils. Je lui raconte la discussion que j'ai eue avec lui la veille. Elle m'écoute attentivement. Quand je lui décris l'attitude que j'ai eue et ce que j'ai répondu à mon fils, elle sourit à pleines lèvres.

– Réalises-tu, France, que tu es une très bonne mère ?

C'est bien simple. Elle me dirait que j'ai gagné le million qu'elle me ferait moins d'effet. J'ai le souffle coupé. Je suis émue. J'éprouve de la gêne. Les yeux me roulent dans l'eau. Je sens la joie. Je goûte à la fierté de moi.

Les jours suivant cette séance, en présence de mes enfants, je sens cette petite phrase qui me tourne autour du cœur : « Réalises-tu, France, que tu es une très bonne mère ? » Et je dis OUI !

Chapitre 19

FLEURS D'ACIER

Je suis choyée par le cinéma qui donne toujours un peu dans la musique. Après Alice dans *Une histoire inventée*, je fais Florence dans *L'assassin jouait du trombone*, de Roger Cantin, où je mets toujours en pratique ce que j'apprends : puiser dans mes propres énergies tout en délimitant ce qui m'appartient et ce qui appartient au personnage. Je suis encore fragile.

Un rôle dangereux...

Je n'ai que quelques mois de thérapie quand j'obtiens le rôle de Françoise dans *J'te demande pas le ciel*, de Pierre Gang. Françoise Vidal est une femme qui se meurt d'un cancer du pancréas, qui fume comme une cheminée, qui boit en cachette et qui demande à son fils de l'aider à partir avec une *overdose*. Rien de mieux ! Je joue avec cette partie de moi qui lui ressemble, puisqu'on joue un rôle à travers soi. Inutile de dire que je suis encore dangereusement près de la mort et du désespoir, puisqu'il n'y a pas si longtemps, je voulais en finir. Je n'ai pas beaucoup de recul. Mais je sais qu'il y a danger si je m'identifie à Françoise Vidal. Même si, maintenant, je sais ce que c'est que de jouer, il m'arrive, certains soirs, après le tournage, de rêver que je meurs. Une nuit, j'ai eu vraiment peur de mourir. Ce personnage est si près de moi que je me bats constamment pour ne pas me laisser avoir par ses énergies morbides. Malgré le fait que mes autres problèmes se règlent petit à petit, je suis dans une espèce de zone grise. J'entends souvent une petite voix me dire : « Si c'est comme ça... J'veux plus vivre... J'suis fatiguée... »

Béatrice me sauve la vie

C'est à Béatrice Picard que la vie confie le soin de changer cette zone grise en un beau jardin coloré. Son intervention me semble tellement guidée. Après la pièce *Pantoufle,* dont elle avait fait la mise en scène pour le Théâtre de Saint-Jean-de-Matha, elle m'avait dit qu'elle cherchait une comédienne pour interpréter le rôle de Thérèse dans la pièce *Fleurs d'acier,* produite par le Théâtre du rire et des larmes. Aujourd'hui, elle me donne copie de la pièce...

– Dis donc, Béatrice, avec qui je vais jouer ?
– Il y a Françoise Faucher, Andrée Lachapelle, Linda Sorgini, Monique Richard et moi.

À chaque nom, mon cœur fait un saut. Je n'en reviens pas qu'on m'offre de jouer avec de si grandes comédiennes. Je suis bien consciente qu'au théâtre, jusqu'à maintenant, je suis surtout invitée à jouer dans des pièces d'été... légères. La seule comédienne que je connaisse personnellement dans cette distribution est Béatrice. Les Françoise Faucher, Andrée Lachapelle, Linda Sorgini, Monique Richard, je ne les connais que pour les avoir vues jouer à maintes reprises, mais sans plus. Je n'en reviens pas de pouvoir jouer avec ces femmes-là. C'est extraordinaire ! En même temps, je suis en quelque sorte sauvée de l'emprise de Françoise Vidal. Un certain équilibre s'établira entre les vibrations du tournage de *J'te demande pas le ciel,* où je suis si près de la mort, et celles des répétitions de *Fleurs d'acier,* où la vie vibre par tous ses bouts... C'est ainsi que je me rendrai jusqu'à la fin du tournage et des répétitions comme un funambule marchant droit sur son fil entre le gouffre sans filet et la lumière des réflecteurs.

En répétition, et plus encore en tournée où nous partageons nos moments de loisir, je me sens acceptée par ces femmes magnifiques. Il n'y a rien comme l'amour et le respect qu'elles ont pour moi, autant sur le plan personnel que professionnel, pour aider à ma guérison.

En faisant ainsi le tour de la province, je revois des lieux où j'ai vécu plein de choses qu'il me reste encore à « regarder ». Elles m'accompagnent. À Sherbrooke, elles entrent avec moi dans l'église de mon enfance et chantent avec moi un *Gloria in excelcis Deo* suffisamment puissant pour faire monter vers le ciel bien des années de souffrance. Des larmes coulent sur nos joues, tellement nous sentons fort et doux ce lien entre nous. La vraie communion. Une amitié profonde entre cinq femmes bien différentes. Un moment privilégié que Monique Richard s'empresse d'immortaliser avec son appareil photo. Elle prépare pour chacune d'entre nous un superbe album qu'elle nous remettra à la fin de la tournée.

Nous sommes maintenant à Chicoutimi, où j'ai perdu le seul enfant dont j'ai été enceinte étant mariée. Ensemble, nous faisons le tour de la ville où je leur sers de guide. Nous rencontrons même mon ex-belle-sœur, Florence. La complicité devient de plus en plus forte entre nous. Chacune a ses histoires et chacune accueille l'autre sans problème, sans attente, de manière inconditionnelle. Non seulement je ne suis pas rejetée par ces femmes, mais je suis aimée. Extra-ordinaire ! C'est tellement merveilleux d'être à bout de souffle après avoir chanté des chansons avec Linda Sorgini et « Monne », ou d'en improviser en groupe pour le simple plaisir de chanter ensemble. Les mots ne peuvent traduire tout ce que nous vivons quotidiennement. La grande complicité pendant huit mois de tournée !

Cet été, nous jouons à Sainte-Adèle. Un franc succès ! Nous faisons salle comble tous les soirs. Les gens viennent voir la pièce, ce qui se passe sur scène. Mais ce qu'ils sentent le plus, c'est ce que nous portons ensemble. C'est vraiment magique. Françoise, Béatrice et Andrée en sont ébahies. Elles disent qu'el-

les n'ont « jamais vécu quelque chose de semblable ».
Ni moi non plus !

Mon rapprochement des femmes avait commencé
à la Maisonnée d'Oka, avec Paulette et de rares amies
qui ont été constantes. Mais maintenant, c'est avec
des personnes de mon métier quer j'admire et chez
qui je suscite le respect. Avec *Fleurs d'acier,* je réalise
encore plus qu'on reçoit toujours ce qu'il faut pour
continuer. J'étais dans un tel état avant que ce miracle se produise, avant de franchir cette nouvelle étape
très importante dans mon rétablissement, dans ma «
nouvelle vie » !

J'ai une constance certaine envers les personnes
avec qui je franchis des étapes, avec qui je grandis et
qui grandissent avec moi. C'est un gros changement
chez moi. Je continue à grandir avec elles. Je ne peux
plus me permettre d'être tirée par en arrière, d'être
arrêtée. Mais je peux aider quelqu'un qui est prêt à
être aidé. Moi, je l'ai été quand j'ai été prête à avancer, prête à accepter qu'on m'aide. Pas avant.

Côté cœur

Trois ans après ma grande rupture, je suis encore en
peine d'amour. J'ai eu quelques aventures que j'ai
appris à dénouer avec ma thérapeute, Nicole. Ce n'est
pas facile. Ça « brasse dur » en thérapie. L'enfance
revient de façon très aiguë, et mes manques sont
grands. En cet été de 1991, je suis comblée côté métier, mais côté cœur, c'est l'errance. Jusqu'à ce que
j'aille assister à la pièce qui joue à « l'autre théâtre
d'été ».

Comme c'est la coutume entre comédiens, nous allons en coulisses après la pièce pour nous saluer et nous encourager... et aller au restaurant. Il fallait bien que la pointe du cœur me « retrousse » encore une fois. L'amour prend la forme d'un des comédiens de cette troupe. Il est libre, je le suis aussi. Il a un humour particulier, il est enjoué et pas déplaisant du tout à regarder. Nous nous voyons de plus en plus souvent, mais nous sommes prudents tous les deux et ce n'est que beaucoup plus tard, bien après l'été, que je vais vivre avec André. Je quitte donc la rue Ridgewood pour vivre à Outremont.

En thérapie, je suis dans des « gros nœuds ». J'aurais besoin d'être bercée par mon amoureux. Mais c'est aussi une personne blessée par la vie et qui se protège jusqu'à un certain point. Sa disponibilité à mon égard n'est pas aussi grande que mes besoins. Très tôt, je me sens plongée dans une profonde solitude. Je suis loin d'être guérie. C'est ainsi que notre relation amoureuse prend fin. Mais nous demeurons d'excellents amis et nous continuerons toujours de nous voir en tant que tels.

Ma fille s'en vient

Ma fille a dix-huit ans et veut revenir au Québec pour étudier. Quelle joie ! C'est la première fois, depuis dix ans, qu'elle vivra au Québec. C'est long, dix ans. Même si elle venait me visiter de temps en temps, ce n'est évidemment pas la même chose. Elle veut demeurer près de moi. Je cherche frénétiquement un immeuble dans Outremont, près de l'école de son enfance.

Nous louons donc chacune un logement dans le même immeuble. Elle a besoin de meubles, de draps, de serviettes, de tout, quoi ! Son père contribue – comme un vrai père – à son bien-être. Il lui donne beaucoup d'affection et voit à ce qu'elle puisse payer son loyer, sa scolarité et ait un peu d'argent. Moi, je l'aide à faire de ce logement un endroit plaisant où vivre, en fournissant tous les meubles et autres effets nécessaires. À un point tel que ma comptable se lamente au sujet des grands trous que je fais dans le budget qu'elle a mis tant de zèle à me préparer. Mais par-dessus tout, j'essaie aussi d'être présente à ses autres besoins.

Elle est à l'âge des emballements amoureux. Et je suis une experte en la matière. Je peux l'écouter sans la juger. J'essaie de ne pas être mère poule, mais plutôt une amie à qui elle se confie sans difficulté. Je sens que c'est ainsi que je peux le mieux l'aider. Une belle année s'annonce, riche en entretiens affectueux entre deux complices.

Chapitre 20

MA PREMIÈRE PIÈCE DITE « SÉRIEUSE »

Alors que je sors à peine de *Fleurs d'acier,* je répète déjà la pièce de la prochaine saison du théâtre La Licorne, *Anna,* de Robert Claing. Marie Laberge, qui en fait la mise en scène, m'a confié le rôle d'Anna, une femme de carrière qui a eu quelques maris et qui a quelques amants, Italiens de préférence. Elle est aussi mère d'une fille. Mais elle a décidé de vivre pleinement, de s'assumer, d'avoir du succès et de l'argent. Elle restera présente à sa fille, mais elle vivra sa propre vie sans se sentir coupable. C'est une femme forte et libre.

Encore une fois, la question se pose. « Pourquoi m'offre-t-on ce rôle-là ? Qu'est-ce que je peux travailler en moi ? » Si je ne pouvais pas me poser cette question, je dirais encore que mon métier est futile. Mais, maintenant, je peux me dire que toute chose qui me permet d'évoluer et de grandir n'est pas futile.

Le décor de la pièce est extrêmement dénudé. Je suis constamment debout. Je ressens quelques malaises... Mes vertiges habituels reviennent. En thérapie, je travaille sur ces malaises. Des événements pour le moins dérangeants de mon enfance surgissent. Ils sont reliés à toutes sortes de situations pénibles dont l'une, en particulier, où je suis debout sur une table... Ce sont les moments les plus durs de ma thérapie. La vieille blessure est grande ouverte. Depuis longtemps, j'ai peur de devenir folle. Et cette peur devient de plus en plus aiguë. Je fais les représentations de peine et de misère pour, finalement, réussir à tenir jusqu'au bout mon premier rôle « sérieux ».

Ma première mise en lecture : le Festival de Trois

Anne-Marie Alonzo prépare Le Festival de Trois 1992. Elle y présentera une de ses œuvres, *Galia qu'elle nommait Amour*. À ma grande surprise, elle me propose de faire la mise en place de la lecture. Sa confiance à mon égard est généreuse et fidèle à son jugement sur mes capacités créatrices. Ce qui ne m'enlève assurément pas le trac et le doute. Mais, soutenue par sa confiance, forte de l'estime que m'ont témoignée mes compagnes de *Fleurs d'acier,* je plonge.

Et je découvre que j'ai le sens de la scène, vue d'un autre œil. Je mets en place les idées qui surgissent et j'ai plaisir à créer l'organisation et à organiser la création. Anne-Marie est ravie du résultat, et les spectateurs aussi !

La télévision

Depuis le début de mon rétablissement, je suis invitée à la télévision à des *talk shows* ou à des variétés. Mais, jusqu'à maintenant, les responsables de séries s'étaient fait attendre. On sait bien. Je les ai souvent abandonnés en plein milieu de leurs feuilletons, avec de bonnes raisons, bien sûr. Mais un feuilleton demande une certaine constance. Et jusqu'à maintenant, ils ont toujours préféré faire mourir leurs personnages à leur heure plutôt que d'être obligés de les faire expirer ou voyager à l'heure déterminée par un comédien ou une comédienne. Et ils ont de la mémoire.

Mais, petit à petit, le mot se passe. « France Castel est maintenant fiable. » La maison de production SDA ose, la première. Elle travaille à l'émission *Scoop,* de Réjean Tremblay, diffusée par Radio-Canada. Je signe avec eux pour un bloc d'émissions où je joue le rôle de Louise Duguay, une rédactrice en chef qui prend son rôle au sérieux. Rien d'éparpillé ni dans sa pensée ni dans sa vie, sauf l'amour qu'elle porte au premier ministre. Amour qui lui fera perdre son poste.

Puis, Radio-Canada plongera sans intermédiaire. Cette fois-ci, je deviens la mairesse dans *Sous un ciel variable.* Une autre femme de carrière ! Une sorte de Louise Duguay de banlieue mais qui fait très attention pour ne commettre aucune erreur. Elle sait où elle va. « Quelle partie de moi ? »

La vie presque normale

Ma vie affective est relativement équilibrée. J'ai bien quelques élans du cœur, mais je m'empresse de les examiner dans tous les sens, en thérapie. Ce qui m'évite de tomber dans mes vieux schémas et d'en sortir en dépression.

Nicole est très alerte pour crever les abcès avant qu'ils ne m'empoisonnent pour longtemps. J'ai même failli recommencer l'expérience avec un autre partenaire qui se disait lui aussi capable d'aimer autant une femme qu'un homme. Il s'en fallut de peu pour que je m'embarque encore une fois sur le sentier névrotique. Mais je l'ai réalisé à temps. Juste à temps !

À la maison...

Ma fille étudie. Elle partage son logement avec des collègues du collège. Mon fils David pense beaucoup à son père ces temps-ci. Benoit, lui, partage un logement avec un ami, dans le quartier Villeray. Il essaie de reprendre ses études. Sa sœur a promis de l'aider. Les voir s'entraider comme ça me réconforte. Évidemment, ils se chamaillent un peu comme tous les frères et sœurs du monde, mais je sens qu'ils s'aiment. C'est ce qui est important. Moi, de mon côté, j'essaie de faire tout ce que je peux pour eux. Je sens encore la culpabilité. Mais c'est quand même différent. Il n'y a pas que la culpabilité qui prend toute la place comme avant, il y a aussi beaucoup d'amour plus dégagé, plus libre.

Et ça tourne !

Roger Cantin, qui m'avait donné une toute petite scène dans son film *L'assassin jouait du trombone,* m'offre un rôle dans son nouveau film, *Le Grand Zèle.* L'action du scénario, écrit par Claude Lalonde et Pierre Lamothe, se vit dans le contexte d'une compagnie et de son personnel. J'y joue le rôle de « la psychologue Daoust », nerveuse et névrosée qui, tout en faisant des interventions auprès des employés d'une entreprise, « se paie joyeusement la traite » avec certains de ses clients.

Ce personnage est une caricature de certains ou certaines psychologues qui nous regardent, nous observent et n'ont de repos que lorsqu'ils ont mis un nom sur le problème que nous avons. La psychologue Daoust pousse le ridicule jusqu'au bout. Elle se promène avec ses cartons pour mieux « étiqueter » les pauvres personnes qui se font traiter par elle.

Je suis bien loin du petit rôle que Cantin m'avait confié dans son film précédent. Dans la seule scène que j'y jouais, j'étais Florence, une itinérante qui sirotait sa bière en grillant une cigarette. Assez gelée par l'alcool, elle ne s'était pas aperçu qu'elle avait échappé sa cigarette dans sa manche et qu'elle-même était en train de griller. Le serveur, voyant la fumée sortir de la manche, prend la bière de Florence et éteint le feu avec. Inutile de chercher bien loin quelle partie de moi a fait lancer à Florence et ce, de façon très convaincante : « Ma bière, tabarnac ! J'veux ma bière ! »

Il fut un temps où j'étais très près d'elle. L'important pour Florence, alcoolique invétérée, était sa bière. Le feu et sa vie de misère étaient bien secondaires. C'est sûrement ma propre conviction d'autrefois en relation avec la *coke* qui m'a aidée à bien remplir mon rôle. Et c'est cette même conviction qui me vaut d'être rappelée maintenant pour jouer dans son nouveau film. Justice ! Ma vie passée me sert à quelque chose de bon ! Pour la psychologue Daoust, c'est différent. Je suis allée chercher sa dynamique en me remémorant les psychologues que j'avais consultés en cours de route. C'est aussi un peu de ma vie d'aujourd'hui, puisque présentement, en thérapie, j'apprends à nommer ce que je ressens. Mais loin de moi les catégories !

Tu faisais comme un appel

L'auteure et metteure en scène Marthe Mercure a travaillé pendant des années à recueillir les propos de certaines orphelines de Duplessis, parmi ces enfants qui ont vécu dans les orphelinats sous le règne de notre fameux premier ministre des années quarante. Pendant ces rencontres, elle a relevé mot à mot ce qu'elles avaient à dire et elle en a fait une pièce extraordinaire.

Monique Richard, une grande amie comédienne, me parle de cette pièce dans laquelle Marthe Mercure aurait un rôle pour moi. Puis, Marthe m'appelle. J'aimerais bien jouer avec Monique, mais il y a un gros hic qui n'est pas facile à surmonter. L'atelier-studio Kaléïdoscope, qui produit le spectacle, s'est engagé à aller en tournée au Festival de la francophonie, à Limoges. Qui dit Limoges, dit la France. Qui dit la France, dit l'avion et qui dit l'avion, dit peur de France.

J'hésite un bon moment. Mais le goût de rejouer avec Monique Richard l'emporte momentanément sur la peur. Je finis par accepter de faire partie de la distribution de cette pièce dont le titre dit tout : *Tu faisais comme un appel.* Dès ma première lecture, je suis profondément émue. Mon rôle est celui de Françoise, la plus ronde, celle qui se fait battre.

Certaines de ses répliques me tournent sens dessus dessous : « Moi... là... quand c'te sœur-là a v'nait là... pis qu'a nous battait... moi j'aimais ça... parc'que... parc'qu'après ça... après ça... a prenait soin de nous autres comme une môman... » Françoise est forte. Elle est débrouillarde aussi, malgré l'abus qu'elle subit.

Je joue ce personnage collée à mes tripes... Et j'oublie l'avion de temps en temps... Jusqu'au moment où j'y repense. Je tremble. Ma grande peur refait surface. « Devenir folle. » En avion, quand je vois les gens devenir jaunes, je suis effrayée. Quand je les entends parler avec des sons qui ressemblent à une langue orientale, j'ai l'impression d'halluciner... Un vrai *bad trip,* mais à jeun !

Ce qui m'effraie le plus, c'est de voir et d'entendre tout ça, en sachant que je n'ai rien pris. À ce moment-là, je pense que je deviens folle. Pour conjurer la peur du voyage en avion, Monique Richard et moi planifions notre escale à Paris pendant qu'en thérapie je suis centrée vraiment sur ce problème.

En attendant, les répétitions sont commencées depuis un certain temps. Le texte m'apprend beaucoup sur le langage. Les phrases sont souvent inachevées. Je me mets à observer les gens autour de moi, dans la vraie vie.

En pleine émotion, quand il se passe vraiment quelque chose qui les touche, ils ne finissent pas souvent leurs phrases. Quand ils parlent en même temps qu'ils sentent une vague de fond, ils sont hésitants et finissent par s'arrêter de parler, plus attentifs à ce qui se passe au-dedans qu'au-dehors. Au bout de quelques secondes, ils reviennent en commençant une phrase toute neuve sans se préoccuper de la précédente qu'ils ont laissé tomber.

Soudainement, je découvre que le langage utilisé dans la pièce de Marthe Mercure est réel et que, au théâtre, tel que nous le connaissons, le langage est souvent irréel. Peu de personnes peuvent vivre une émotion profonde tout en continuant de parler dans une structure de langage parfaite et cohérente, comme celle de l'écriture théâtrale que nous lisons habituellement. Dans la « vraie » vie, dès que nous quittons le plan rationnel, l'émotion chamboule la structure même de notre langage.

La pièce de Marthe Mercure respecte les effets réels de l'émotion sur notre façon de nous exprimer au moment où nous vivons l'émotion. Souvent, le théâtre dépasse la vérité, la transpose, un peu comme en chanson. D'ailleurs, quand on parle de tirade, au théâtre, on parle souvent d'une envolée, comme en chanson. J'aime beaucoup le théâtre et j'aime la vérité tout autant. Je me sens bien près de cette vérité quand je deviens ce personnage magnifique qu'est Françoise.

Marthe Mercure a réussi une pièce théâtrale dans sa structure, mais tellement réelle dans son langage. Quelle découverte et quel bel apprentissage pour moi !

Chapitre 21

LA VIE CHANGE

Il est déjà question que je participe au prochain film de Marc-André Forcier, qui porte présentement le titre de *Ababouinée.* Le scénario n'est pas définitif. J'attends des nouvelles. Cette année, en plus du *Grand Zèle,* j'ai tourné dans un film de Richard Ciupka où je jouais un petit rôle : celui de Francine, serveuse de profession, amie des jeunes. Finalement, c'est moi, Francine, avec mon côté de fille simple et « de service », légère, mais solide. La France pour qui « tout est correct » et qui ne juge pas... Ce personnage était facile à rendre puisqu'il était, pour moi, un naturel et équilibrait mon humeur quotidienne.

Côté théâtre, le metteur en scène André Montmorency m'offre le rôle de M'man, dans la pièce de Jean-François Caron, *Aux hommes de bonne volonté.*

Cette pièce tiendra l'affiche au Quat'Sous à la prochaine saison. J'aurai donc deux pièces à répéter pour un certain temps. Il me faudra beaucoup de discipline... Et une tête un peu moins trotteuse.

La vie s'écoule sans trop de heurts, à l'exception de certaines inquiétudes. David cherche son père. Privé de sa présence depuis si longtemps, il l'idéalise tellement... Mais il ne s'ouvre pas beaucoup. Là-dessus, il lui ressemble. Sous un apparent détachement, il cache souvent ce qu'il vit vraiment. J'attends...

Mon fils Benoit, lui, vient de m'annoncer qu'il a interrompu les cours qu'il avait repris. Il se cherche du travail. Dominique aussi se cherche un emploi à temps partiel pour arrondir ses fins de mois et se payer quelques petites fredaines. Face à la vie, elle a très bon appétit, comme sa mère. Je les regarde tous avec fierté. Il m'arrive de m'inquiéter pour eux. Ils sont devenus des jeunes adultes. Encore heureux qu'ils soient là. Et moi aussi.

Limoges

La date fatidique de notre départ s'en vient au pas de course. Nos répétitions sont intenses. Les séances de thérapie font doucement leur effet. Je dis bien, doucement. J'ai encore peur de l'avion. De temps en temps, j'ai l'impression que j'ai moins peur. Est-ce une impression, où ai-je vraiment moins peur ? Je n'en ai aucune idée. Je le saurai probablement une fois rendue en l'air. En attendant, certains jours, c'est plutôt ici, en bas, qu'il y a de la turbulence.

Octobre 1992

J'ai des papillons dans l'estomac. J'ai peur d'être malade. Je prends quand même l'avion. Ma nervosité est sans limite. À ma grande surprise, personne ne tourne au jaune et personne ne parle chinois. Ça marche ! Je suis loin de baigner dans le confort ou dans une sérénité à toute épreuve, mais, au moins, je n'hallucine pas.

Arrivés là-bas, il va s'en dire que sitôt descendus de l'avion, nous nous dirigeons vers Limoges, pour être sur les lieux le plus rapidement possible. Le lendemain, nous répétons sur la scène où nous ferons la première dans quelques jours. L'équipe technique s'affaire autour de nous comme des abeilles. Nous travaillons ferme. Le soir, nous mangeons ensemble. Le groupe est très sympathique, mais il en est un qui l'est beaucoup. C'est Alain, le gars au « son ». Avec son air désinvolte, mais le regard bleu toujours présent, il me captive, me fascine, me séduit... Et quand il parle, sa voix est chaleureuse et son accent sent le soleil. J'entends une merveilleuse chanson dans chacune des phrases qu'il dit.

Le lendemain de la première, nous dînons tous ensemble après le théâtre. Le regard bleu m'enveloppe. Je suis profondément chavirée par sa force et sa douceur. Nous partons ensemble. Je suis en amour !

Comment désorganiser un voyage organisé

Les représentations sont terminées. À mon grand regret, je dois quitter Limoges. Dans nos plans, à Monique Richard et à moi, il y a toujours notre escale à

Paris. On ne vient pas en France sans aller à Paris ! Il y a aussi l'oncle de ma fille, le frère de son père, que je dois rencontrer. Je fais mes adieux à Limoges et à Alain. Et vivement la Ville lumière !

À peine arrivée, je ne tarde pas à trouver le temps long. Je téléphone à Limoges. Je reçois un téléphone de Limoges. Et je retéléphone. Alain vient me rejoindre. Pendant ces quelques jours où nous sommes ensemble, Paris est devenue soudainement une ville merveilleuse !

Le retour

Je reviens à Montréal, à la vie normale, dans mon petit logement. Le voyage en avion a été passable. Je tourne en rond. J'ai la tête ailleurs. Cela frise l'obsession. J'ai une séance avec Nicole, ce matin, j'en ai long à dire.

– J'suis accrochée, seulement parce que c'est impossible. Cette relation-là est impossible... Lui, à Limoges... Moi, ici. Tu vois bien que c'est pour ça que j'suis restée accrochée. Pas rien qu'accrochée... obsédée... J'suis obsédée.

– Est-ce que tu veux dire que tu ne penserais pas à lui, s'il vivait ici ?

– Ben... Ce serait différent, tu trouves pas ? Comment savoir ? C'est pas parce que j'ai peur, t'sais.

– Il y a quand même un risque.

– Laisse faire le risque. J'te dis, c'est parce que c'est impossible que...

Je me défends de toute mon âme contre cet amour si fort. Mais les gestes que je pose vont tout à fait dans l'autre sens. Les téléphones outre-mer, les lettres. Si je ne me retenais pas, je téléphonerais tous les jours. J'suis accrochée... pas à peu près.

Une bonne cure... le travail !

Les répétitions au Quat'Sous vont bon train. Mon rôle est celui d'une femme dont la personnalité est haute en couleurs et qui, malgré ses attaches, surtout malgré ses enfants, avait décidé il y a longtemps de prendre sa vie en main. Malgré les apparences trompeuses (je l'écris en souriant), j'ai une certaine parenté avec M'man (Françoise), à l'exception du fait que je suis encore bien liée à mes enfants. Même si je suis obsédée par ce « maudit Français » !

Entre temps, la maison de production Charlot prépare déjà sa prochaine saison au théâtre de Sainte-Adèle. *Ni vu ni connu,* de Terence McNally, sera à l'affiche dans le Nord, l'été prochain. Suzanne, la productrice, est venue me porter le texte. Je me plonge dans la lecture. Rien de tel qu'un nouveau texte à regarder, à sentir et à apprendre pour chasser les autres idées qui me ramènent toujours à Alain.

Je suis encore plongée dans ma lecture quand le téléphone sonne. C'est Alain. Nous avons toujours quelque chose de plus à nous dire. Et, cette fois-ci, il m'annonce qu'il prend de longues vacances aux Fêtes et qu'il aimerait bien les passer avec moi. Et moi aussi ! Il viendra donc ici pour Noël, et j'irai chez lui au jour de l'An. C'est la joie totale ! Mais comment vais-je m'occuper à autre chose qu'à attendre son arrivée ! Je suis au septième ciel. Je flotte. Nous planifions l'achat de nos billets pour être ensemble sur le vol vers la France. C'est merveilleux !

Par hasard, Marie-Jan, cette amie française qui m'a déjà sauvé la vie, me dit qu'elle-même doit aller dans sa famille pendant les Fêtes. Alors, elle achète son billet aller en même temps et à la même date que les nôtres. Ce sera une présence rassurante. Alain m'a dit que lui aussi a peur de l'avion.

Le désir de fusion est tellement fort qu'il pourrait m'empêcher de fonctionner. Je travaille très fort en thérapie pour ne pas être submergée par cette nouvelle relation si forte. J'essaie du mieux que je peux de me concentrer sur mon travail. Je fais de mon mieux aux répétitions de *Aux hommes de bonne volonté*.

Toute la trame de la pièce est tissée à partir de la lecture du testament de Jeannot par son notaire. Emporté par le sida, Jeannot a fait un testament bien particulier dans lequel il exprime non seulement ses dernières volontés, mais aussi tout ce qu'il a vécu par rapport à chacun des membres de sa famille.

Le personnage de M'man est difficile à rendre sans que cette femme-là ne passe que pour une extravagante, une décrocheuse systématique un peu sans cœur. Je m'efforce de l'apprivoiser en tentant de nuancer du mieux que je peux. Elle n'a pas été disponible à ses enfants comme eux l'auraient voulu. Elle a, à un moment de sa vie, coupé le cordon et s'est permis, entre autres, de voyager. Elle est un peu folle. Mais elle n'est pas pour autant condamnable. On sent dans les répliques de M'man qu'elle est sur la défensive : « C'est ça, c'est ça ! T'aurais dû le dire avant... (...) Là y est mort... » Mais on sent aussi qu'elle est très consciente de la perception que les autres ont d'elle : « Ben c'est ça, tu l'as jamais assez dit. C'est ça, c'est une étrangère un peu folle qui fait des voyages... »

Françoise peut me ressembler dans certains gestes qu'elle a faits dans sa vie. Ces gestes sont ce que l'on voit de l'extérieur. Intérieurement, cette liberté qu'elle affiche semble être une sorte d'affirmation d'elle-même. Tandis que, pour moi, la liberté que j'ai affichée pendant longtemps a été plutôt l'expression de ma prison dont je secouais désespérément les barreaux. Peut-être est-ce cela aussi pour M'man-Françoise. Je dois avouer que, pour toutes sortes de raisons, j'ai de la difficulté à plonger dedans à fond.

Joyeuses Fêtes !

Alain arrive aujourd'hui. Je suis à l'aéroport. Je suis fébrile. J'ai tellement hâte de le voir. Je vis tout en même temps. Le bonheur, l'angoisse, le rêve, la nervosité, et j'en passe ! Il est aux douanes. Je le vois. Il me sourit. Il a l'air radieux. Mon cœur bondit de joie. C'est mon homme !

Chapitre 22

LE BONHEUR

Je n'en reviens pas de le voir là, à côté de moi. Je suis tellement bien et tellement heureuse. Nous sommes ensemble constamment, comme si nous ne voulions pas perdre un seul de ces instants précieux en nous occupant à autre chose qu'à nous deux. À Noël c'est la fête de famille. Mes fils, David et Benoit, et tous les Bégin sont réunis. Seule ma fille est absente. Elle est partie chez son père fêter avec lui. C'est notre seule sortie. Mes fils rencontrent Alain. Je ne connais pas encore leur impression. Alain reçoit tout un « baptême », celui des Bégin, une famille québécoise nombreuse dont chacun des membres est très particulier et qui connaît à fond les gros *partys* ! Le 29 décembre, nous nous dirigerons vers Mirabel, où nous prendrons l'avion pour l'Europe.

L'aller

Marie-Jan est calme. Alain cache difficilement sa nervosité, et la mienne est très évidente. Nous avons tellement peu de temps pour nous voir, Alain et moi, que nous sommes prêts à tout pour passer quelques moments ensemble. Même à mourir. Parce que, pour chacun de nous, prendre l'avion, c'est déjà avoir un pied dans l'au-delà.

Au décollage, Alain et moi, nous nous tenons la main si fort qu'elle change de couleur. À la moindre petite secousse, nous nous raidissons. Ce n'est pas reposant et c'est long. Mais nous avons si peu de temps. Il travaille au théâtre le lendemain du jour de l'An, et, moi, dans une semaine, je retourne au Quat'Sous.

La vie quotidienne pendant une semaine

Là-bas, nous ne voyons pas beaucoup de gens. Le jour, Alain travaille à un montage au théâtre, et, moi, je mémorise à fond le texte de *Aux hommes de bonne volonté*. Le soir est réservé exclusivement pour nous deux. C'est ainsi que s'écoule trop vite le temps que nous avons ensemble.

Le retour

Marie-Jan demeure en France pour trois autres semaines. Je reprends l'avion seule. J'ai très peur. Mais qu'est-ce que l'amour ne me ferait pas faire ? Le retour à Montréal est difficile à vivre. J'appelle Alain en arrivant. Je voudrais être à ses côtés. Mais sitôt mes valises déballées, le travail au Quat'Sous me rattrape. Après les dernières répétitions, ce sera les représentations.

Évidemment, les lettres et les téléphones se suivent comme autant de points de repaire heureux dans ma vie quotidienne. Alain me parle d'un grand changement, d'un séjour prolongé au Québec.

Les Fêtes sont terminées. Ma fille est revenue de Floride aussi pétillante qu'avant. Elle continue d'étudier à Montréal et travaille en même temps. Je suis toujours sa confidente. Nous passons souvent des moments ensemble où elle me raconte ses amours. De temps en temps, elle me demande même mon avis ou des conseils. Je les lui donne, mais très prudemment. David s'en va en Europe. Il séjournera chez Alain. Je suis contente qu'ils se rencontrent à l'extérieur, comme ça, entre hommes. Alain est un homme très bon. Il ne demande pas mieux que d'aimer les enfants. Benoit, lui, se cherche du travail et fait un peu de musique. Il a du talent et une voix bien spéciale.

Je viens d'être appelée par la metteure en scène Alice Ronfard pour jouer Hélène de Troie dans *Les Troyennes,* d'Euripide, en avril prochain, au Théâtre du Nouveau Monde. Je ne connais pas tellement les classiques. Je le lui dis. Elle m'explique un peu : « La guerre de Troie a eu lieu parce que Héra (déesse grecque de la terre et de la fécondité), Athéna (déesse de la guerre et des arts) et Aphrodite (déesse de l'amour) ont demandé à Pâris, prince troyen, d'offrir une pomme à celle qui était la plus belle parmi elles. En retour, chacune des déesses lui faisait une promesse. Pâris a offert sa pomme à Aphrodite, mieux connue sous le nom de Vénus, parce que sa promesse était très séduisante : elle lui avait promis l'amour de la plus belle femme du monde. Or, cette femme est l'épouse du roi grec Ménélas, qui n'a pas apprécié du tout que le prince troyen la lui vole. Après l'enlèvement d'Hélène par Pâris, la Grèce entre en guerre contre Troie. Une guerre qui a duré dix ans... Jusqu'à ce que les Grecs soient victorieux et qu'Hélène, qui sous l'emprise d'Aphrodite avait quitté son époux, se retrouve maintenant condamnée à mort par décret du roi trompé. Elle doit plaider sa cause. » Puis, Alice Ronfard me fait voir le côté victime du personnage.

Ce téléphone d'Alice Ronfard m'étonne beaucoup. Jamais je n'ai pensé être un symbole de beauté. Je suis plutôt incrédule que ravie. Ce qui me fait le plus plaisir et m'impressionne surtout, c'est de jouer avec des comédiens et comédiennes de très haut calibre. Juste à penser que c'est Monique Mercure qui incarnera Hécube, la mère de Pâris, je rougis dans mon coin.

Quand je lis le texte, je réalise bien que je ne suis pas habituée à lire ce genre de pièce, encore moins à en jouer. Il y a de longues tirades, comme des monologues écrits dans une langue plus difficile à aborder. Et c'est une France Castel bien intimidée qui arrive à la première lecture de la pièce avec les autres comédiens. Au début, j'ai de la difficulté à être en contact avec le « symbole de beauté », la fille qui fait « tomber ». Je ne sais pas où aller la chercher. La magie n'est pas encore là. Ce ne sera qu'après plusieurs représentations que j'assumerai vraiment le rôle de symbole de beauté.

Mais je sens très tôt que, si la belle Hélène est victime, c'est parce que c'est une femme fidèle transformée en courtisane par Aphrodite. Elle est victime du désir d'une déesse. C'est là où réside toute la fatalité de son destin. D'ailleurs, elle défend sa vie en disant : « Ne me tue pas, ne me tue pas. Es-tu capable, toi, de résister à Aphrodite ? »

Les Troyennes lui en veulent parce qu'elle est source de leur malheur, et les Grecs, parce qu'elle avait trahi leur roi. Bref, elle est au cœur de la tragédie et tout le monde la hait pour la tuer. Hélène est belle, séductrice et veut sauver sa vie. C'est une partie de moi avec laquelle j'ai une certaine difficulté à reprendre contact. Au début des représentations, je suis un peu inquiète de ma performance, mais plus je joue, plus je me sens solide.

L'amour

Pendant ce temps, Alain a fait des démarches importantes. Il a rassemblé tous les papiers nécessaires et préparé son départ. Il vient au Québec en mai et pour longtemps. Je prépare son arrivée. Le logement que j'occupe sera trop petit pour y vivre à deux. Je réserve donc pour juillet prochain celui du coin, au même étage. Et je n'ai plus que deux semaines à attendre. Il quitte beaucoup. Il abandonne un emploi de onze ans, une sécurité bien gagnée. Et surtout, il est prêt à risquer.

Les enfants

Ma fille a décidé d'étudier en français l'an prochain. Mon fils David reviendra d'Europe sous peu. J'ai hâte de le revoir.

L'arrivée

Nous sommes en mai, enfin ! Je répète déjà la pièce d'été *Ni vu ni connu* quand Alain prend l'avion Paris-Montréal. Il va sans dire que je vais le chercher à Mirabel et que je lui saute au cou dès qu'il a franchi la porte électronique. C'est le délire ! Il est fatigué, mais heureux. Et moi aussi. Être ensemble, sans être séparés par nos métiers. C'était faisable ! Et nous l'avons fait. Il nous reste maintenant à le vivre.

La saison d'été approche. Les répétitions vont bientôt se terminer. J'ai loué un petit chalet dans le Nord, pas trop loin du théâtre. Ce qui nous permet de nous retirer de la ville quand bon nous semble, même avant que je commence à jouer. C'est bon de se retrouver là, tranquilles. La vie coule toute douce, tellement douce et heureuse. Notre relation est simple, tellement simple. Pour une fille comme moi, habituée à des relations plutôt *rock 'n' roll,* c'est un changement fantastique. Et le plus surprenant, c'est de me sentir si à l'aise dans une relation comme ça.

Benoit, qui demeure à Montréal et adore la campagne, monte fréquemment. Il s'entend bien avec Alain. Il a même amené ses chats. Ce qui revient à dire qu'il nous fait très confiance. Dominique, elle, a terminé ses classes. Elle vient de temps en temps quand elle n'est pas chez son père. David, lui, a re-

trouvé son père. Il passe l'été avec lui. Son père a aban-
donné la musique, du moins de façon professionnelle.
Il est maintenant restaurateur. David l'aide à son restaurant. Son père lui a offert de continuer de travailler
avec lui. David lui a dit qu'il voulait faire de la musique. Il partira de là-bas à la fin de l'été. J'espère qu'il
a trouvé ce qu'il cherchait. Je devrais en savoir un peu
plus long à son retour. Le climat entre les enfants,
Alain et moi est rempli d'amour. Nos rencontres sont
paisibles, et je sens tranquillement l'harmonie s'ins-
taller dans ma vie.

Paradoxalement, le rôle de Chantal Cyr, que je
joue maintenant au théâtre de Sainte-Adèle, est celui
d'un femme bouleversée par l'inquiétude et qui fait
semblant d'être au-dessus de tout. C'est une verbo-
motrice infatigable qui cache son angoisse sous les
aspects de la parfaite fille de *party*. Je suis très loin
d'être verbo-motrice, mais j'ai souvent caché mes an-
goisses sous la fille de *party*. Le jeu, les rôles, les personnages m'apprennent tellement qui je suis
maintenant et me font voir aussi qui j'étais. Seulement pour ce cadeau que m'offrent le théâtre et le
cinéma, je continuerai, si Dieu le veut, à jouer toute
ma vie.

Chapitre 23

DU PAIN SUR LA PLANCHE

L'été est fini. Nous revenons à Montréal nous réinstaller dans notre logement. J'ai encore le chalet pour un temps. Nous pouvons encore aller nous y reposer les fins de semaine. Alain se cherche du travail. C'est un homme courageux et indépendant, qui a décidé de se tailler une place au Québec dans une période qui n'est facile pour personne. Il envoie son *curriculum vitae* partout et accepte du travail, quels qu'en soient les honoraires. Dans ses périodes creuses, périodes qui, au début, sont plus fréquentes que celles où il travaille, il reste à la maison, fait le ménage, le lavage et même les repas, surtout quand j'enregistre. (J'ai renouvelé mon contrat avec SDA et Radio-Canada pour des épisodes dans *Scoop* et *Sous un ciel variable.)* Et, quand je suis là, il partage avec moi les tâches domestiques. C'est bien la première fois que cela m'arrive. Ça me fait du bien de me sentir épaulée par quelqu'un qui m'aime assez pour le faire.

Ma fille, elle, reprend ses classes. Elle ira au Collège français pour un an. Depuis l'âge de neuf ans, elle n'a étudié qu'en anglais. Se replonger dans un contexte scolaire totalement francophone ne peut que lui faire du bien. Elle aimerait bien aller étudier en France. Son père, qui est Suisse français, l'encourage. Et moi, cela me touche beaucoup qu'elle revienne à sa langue « maternelle ».

Le fils

David est revenu de chez son père. Il est arrivé chez moi hier soir. Il est très peu loquace. Je le laisse venir. Finalement, il s'avance.

– Tu sais, France, j'ai un demi-frère.
– Ah oui ?
– Il est beaucoup, beaucoup plus jeune que moi.

David vient de tout dire. Il tourne les talons et s'en retourne comme il est venu. Il vaut mieux ne pas chercher à en savoir plus long pour le moment. Tel que je le connais, il faut qu'il laisse « mûrir » ou « refroidir » ce qu'il a vécu avant d'en parler plus longuement.

Le cinéma, une fiction ?

De mon côté, j'attends que Marc-André Forcier commence le tournage de son film *Ababouinée* devenu *Le*

Vent du Wyoming. J'y ai un rôle bien spécial, comme tous les rôles que crée Marc-André, d'ailleurs... Lisette est une femme assez particulière. Mère maternelle, mais *flyée*. Dans cette histoire tout à fait hors de l'ordinaire, comment pourrai-je rester mère, tout en étant *flyée* ? C'est quelque chose que je n'ai pas toujours réussi dans la vie ; est-ce que je peux le réussir au cinéma ? Grande question !

Lisette, mon personnage, n'en peut plus de la petite vie plate qu'elle mène avec Marcel. Elle reprend possession de son corps, de ses désirs. Elle vole l'ami de sa fille, sans le voler vraiment, puisque c'est lui qui n'aime plus sa fille et jette son dévolu sur Lisette. Cette mère, qui a franchi les cinquante ans, laisse tomber Marcel pour le jeune homme. « Tu changes de vie plate... me lancera Forcier, pendant le tournage. Tu jouis à la ville ! »

Ce film vient renforcer ce que j'ai déjà dit plus avant dans ces pages : « On connaît nos mères, mais on ne connaît pas les femmes dans nos mères. » Dans le cas de Lisette, c'est d'autant plus clair qu'elle devient la maîtresse de l'ancien ami de cœur de sa fille.

Le tournage

Forcier nous fait sortir nos trippes. Tous les comédiens se donnent à fond. Il ne se passe pas une journée sans que je découvre quelque chose. Le plus beau cadeau que m'ait donné ce film, c'est d'alléger ma culpabilité. Il m'a permis une réflexion profonde sur mon propre rôle, en tant que mère et en tant que femme. Il m'a fait voir aussi celui de ma mère et m'a permis de préciser encore mieux ce que j'avais déjà compris dans l'attitude de ma mère à mon égard. Pourquoi ma mère ne m'avait-elle jamais jugée quand je lui présentais un nouveau compagnon ? Parce que, non seulement je faisais la vie qu'elle aurait voulu mener, elle qui avait rêvé d'être aussi une chanteuse, mais encore je brisais les cadres des valeurs de la société de son époque qui l'avaient forcée, elle, à demeurer confinée uniquement dans son rôle de mère. À travers moi, elle vivait un peu son rêve de femme, par procuration, et prenait sa revanche d'une certaine façon.

De mon côté, j'ai proposé souvent à mes enfants deux modèles séparés : totalement celui de la femme ou totalement celui la mère. Je n'étais pas capable de leur présenter un exemple unifié, alors qu'une mère est en même temps une femme. Et ma culpabilité provenait justement de ce manque d'unification, parce que quand j'étais femme, je n'étais pas tellement mère.

Je me suis longtemps débattue contre le modèle que ma génération a reçu. Dans ce modèle, il est difficile d'avoir une sexualité, des désirs et d'être mère. Nous avons appris à répondre en tant que mère à nos enfants : une mère, c'est solide et toujours à la maison pour répondre aux besoins de tout le monde. On mettait dans l'ombre ses besoins, à elle, de femme. On nous disait même, à propos de la sexualité de nos mères, que c'était le « devoir ». Ma génération est celle où la sexualité des mères était casée bien à l'étroit dans « l'obligation de » plutôt que dans l'amour et le plaisir.

Une mère est aussi une femme, à ce que je sache. Et l'on ne doit pas mettre en doute ses qualités de mère, même si elle est très femme. En ce sens-là, Lisette est très moderne et nous propose un modèle très peu souvent utilisé. Je ne veux pas dire non plus que c'est le modèle parfait de mère... Mais elle met en lumière, et de façon très évidente, cet autre aspect de la mère-femme qu'on avait tellement ignoré jusqu'à il n'y a pas si longtemps. Ce film-là ne pourra jamais se raconter, il faut que les gens le voient. Il y a trop de choses qui ne se disent pas, mais se sentent. C'est vraiment du cinéma. Ce n'est pas banal, ce que j'en dis, parce qu'il y a encore tellement de films qu'on peut se faire raconter sans les voir et en savoir autant que si on les avait vus.

Les pères

David a écrit à son père ; il attend une réponse depuis un bon bout de temps. Ma fille, Dominique, commence ses vacances des Fêtes. Elle sera avec nous pour Noël et sera chez son père au jour de l'An. Benoit, lui, trouve que son père est très occupé, trop occupé pour le recevoir.

Déjà la prochaine saison

Nous sommes en décembre de 1993. Le tournage est maintenant terminé. Dès janvier, je travaillerai à la pièce *Nez à nez,* de Benoit Brière et Stéphane Jacques. Nous ferons une tournée du Québec. C'est tellement plus reposant de savoir que je vais travailler pendant la saison prochaine ! La maudite insécurité financière est un cancer qui ronge bien du monde ! Et je suis loin d'en être à l'abri. Pourtant, je fais de plus en plus confiance, mais ce n'est pas encore assez. Dès qu'il y a un déséquilibre dans mon travail, je me sens à la merci de tout. Et pourtant, jusqu'à maintenant, je n'ai pas à me plaindre. Je ne fais pas la grande vie, mais j'ai ce qu'il me faut. D'ailleurs, cette vie-là n'a plus tellement d'importance. Elle est souvent pleine d'artifices qui m'ont fait souvent perdre de vue l'essentiel et le sens même de ma propre vie.

Place à la fête

C'est Noël. Mes enfants sont tous là. David, Benoit, Dominique. Alain est égal à lui-même. Il m'a aidée à préparer la maison et un peu la cuisine. Il est heureux, il a décroché un travail. Il est directeur de la tournée de *Nez à nez* et chauffeur. Il fera donc la tournée avec nous. Voilà que ce métier qui a fait notre rencontre, puis qui nous a empêchés d'être ensemble pendant six longs mois, nous réunit à nouveau. Côte à côte, chacun dans son métier, comme à Limoges !

La déception

David me dit qu'après la lettre il a envoyé une carte de Noël à son père. Il n'a pas plus reçu de réponse qu'à sa lettre. Je sens qu'une belle illusion vient de s'écrouler et qu'un deuil douloureux fait tranquillement son œuvre.

– France, tout ce que je veux, c'est qu'il s'occupe comme il le faut de mon demi-frère...

En dedans, je pense : « Il y a des coups de pieds au cul qui se perdent ». Et en dehors, je lui réponds : « Te vois-tu en restaurateur ? » Il sourit difficilement, mais il sourit.

– Pas tellement... non. J'veux continuer à faire de la musique.
– Tu sais, David, ta musique, elle est très belle ! Je sais de quoi je parle...
– Quand est-ce qu'on mange ? J'ai faim !

Dominique ne le sait pas, mais son besoin primaire vient de me sauver d'une impasse. Le ressentiment m'étouffe. Les pères, toujours prêts à les faire les petits, mais après...

L'atmosphère se replace en douceur, l'harmonie se réinstalle à nouveau, et la joie revient. Après le repas, ce sera les cadeaux. Cadeaux qui m'ont valu encore une fois des commentaires éloquents de la part de ma comptable. Après tout, Noël n'arrive qu'une fois par année. Ça fait du bien à tout le monde, les cadeaux. À moi aussi, et d'en recevoir, et d'en donner ! Et nous recommencerons au jour de l'An. Contrairement à l'an dernier, nous n'allons pas dans ma famille. Nous demeurons chez nous avec David et Benoit. Un premier de l'an de douceur. Dominique est déjà chez son père. Elle rentrera au Québec à la reprise des cours.

Nez à nez

Après les fêtes, je plonge la tête la première dans *Nez à nez,* de Benoit Brière et Stéphane Jacques, que je dois jouer avec les deux auteurs. Sur scène nous formons un joyeux trio. Je fais la vieille mère clown et incontinente de deux fils clowns dont l'un veut monter une pièce tragiquement sérieuse.

J'entre sur scène en poussant un chariot d'accessoires. Fixé à ce chariot, un long crochet soutient un sac de soluté auquel je suis branchée en permanence par intraveineuse. Le sac transparent du soluté permet de voir le poisson rouge qui y nage doucement, nullement incommodé par la substance dans laquelle il baigne. Je joue la mère extravagante. Cela fait d'ailleurs plusieurs rôles de mère *flyée* que je joue depuis quelques années, mais, à ce point-là, jamais. C'est une pièce créée dans la plus pure tradition des clowns. Je m'y amuse beaucoup. Même si, à partir de mon entrée, je demeure toujours sur scène, la grande part du jeu appartient aux deux auteurs. J'assiste au spectacle en même temps que j'y participe. Et avant, pendant et après chaque représentation, Alain est là.

Chapitre 24

ÉTÉ 1994
LA VIE LÉGÈRE

C'est déjà l'été. Je suis dans le même petit chalet que l'an dernier, au mont Habitant. Je joue à Sainte-Adèle, mais, cette fois-ci, au théâtre du *Chanteclerc,* dans une pièce d'André Roussin, mise en scène par Louis Lalande. Mon rôle est celui d'une femme on ne peut plus émancipée qui évolue dans un triangle parfait entre son amant et son mari. Un tempérament puissant qui, à chaque soir, dit haut et fort ce qu'elle désire : « Je cherche un homme, un vrai homme. Je cherche un homme comme moi ! »

J'ai plaisir à jouer cette femme inébranlée par les contraintes sociales et qui fait son chemin dans la vie sur une route droite. La pièce est légère, comme c'est la coutume au théâtre d'été, mais elle porte de belles vérités.

Je me sens de plus en plus légère, mais dans le bon sens du terme. Je ne pense plus du tout à la *dope*. Elle ne me vient plus comme une solution. Si l'on m'avait dit ça au moment où j'ai arrêté, je ne l'aurais pas cru. Au début, l'envie me venait, mais je ne passais pas à l'acte. Maintenant, c'est sans effort ; je n'y pense même pas. Pendant les premières années de mon rétablissement, j'ai eu plutôt l'envie de me tuer que celui de priser de la *coke*. Mes histoires d'amour encore tout croches faisaient avec les événements de ma vie un immense carambolage. Maintenant, ma route est plus droite et ma vitesse de croisière, plus calme. Toutefois, certains jours, je recherche encore l'action. Je tourne comme un ours dans une cage trop étroite. Il me faut être encore vigilante, non pas parce que je pourrais retomber dans la drogue, mais plutôt partir encore à la recherche d'émotions fortes dont je me suis nourrie pendant si longtemps. En ce sens-là, mon métier de comédienne me permet de compenser et d'exulter à souhait, à travers des personnages dans lesquels je me pousse à fond.

Mais, chose certaine, en ce qui concerne la *coke*, c'est tellement loin que j'ai l'impression qu'elle appartient à une vie antérieure. Je dois dire que, depuis trois ans, bientôt quatre, j'ai regardé ce que j'avais à regarder. Je vais bien. Mon mode de vie est inspirant. Je mène une vie presque angélique. Je suis généreuse, agréable avec tout le monde, je paie mes dettes. Dans le fond, je suis encore tout ce que j'étais, mais maintenant, j'en fais autre chose. Et c'est ce qu'on en fait qui est important. La thérapie n'était qu'un début. J'avais encore du chemin à faire. Je pensais que j'étais parfaite. Attention !

L'automne : deux gros projets !

Deux pièces très inspirantes sont à mon programme de l'automne. La première, que je répète déjà, est une œuvre de Michel Tremblay, *Johnny, Carlotta et Kiki*, au Théâtre d'Aujourd'hui. La seconde, un Bertolt Brecht puissant, *Jeanne Dark des abattoirs*, au TNM et dont je viens de recevoir le texte.

Johnny, Carlotta et Kiki

Je suis évidemment Carlotta, puisque Kiki est le nom d'un chien de cirque dressé par Johnny, incarné par Donald Pilon. Carlotta est une grande dépendante affective qui a vécu son amour avec Johnny en dépendante. Mais, au bout de tant d'années de cirque, dans le métier comme dans la vie, Carlotta n'en peut plus. D'ailleurs, elle fait son entrée, en disant : « M'as l'tuer ! » C'est cette phrase qui démarre cette pièce basée sur un bien beau lien névrotique à ma mesure et pour lequel je peux puiser dans mes propres expériences de relations maladives.

Je suis toujours surprise quand on m'appelle pour m'offrir un rôle et toujours très intimidée. Qu'on pense à moi, comme ça, qu'on me fasse à ce point confiance... On dirait toujours que je me perçois à un moindre niveau que me perçoivent les autres. Je ne suis pas encore guérie. Cette fois-ci, le metteur en scène m'impressionne beaucoup. Guy Beausoleil est très intelligent, et fin avec trois « n ». Il a une vision de Carlotta bien particulière. Il me demande de faire des jeux difficiles. Je m'y applique et je réussis. Toutefois, Carlotta est pour moi un rôle naturel. Je suis – je devrais dire, j'ai déjà été – Carlotta. Je la connais bien et je la sens. Mais, en partie à cause de la fascination que Beausoleil exerce sur moi, et aussi beaucoup parce que je ne suis pas sûre de moi, j'obéis à la lettre plutôt que de laisser sortir ce que j'ai dans le ventre. D'ailleurs, Monique Mercure m'avait déjà dit, au moment des *Troyennes* : « Ne sois pas si obéissante ! » Un tel conseil donné par une telle comédienne est à suivre. Mais j'ai des problèmes d'affirmation. N'importe quel psychologue pourrait me dire que c'est à cause de l'image que j'ai de moi. Ce qui fait que la phrase « J'vas l'tuer » que j'ai souvent dite en hurlant quand je n'en pouvais plus dans la « vraie » vie, je la murmure sur la scène parce que j'obéis. Je suis inconfortable. Je me promets, à partir de maintenant, de faire attention et de suivre le conseil de Monique Mercure. Je ne serai plus si obéissante.

Un été léger, un automne lourd

Mes humeurs sont à la baisse, ces temps-ci. Autant l'été était ensoleillé, autant l'automne est gris. Je travaille fort, et Alain aussi. Il s'occupe moins de moi. Notre relation est au neutre d'une certaine façon. Je sens que j'ai franchi le cap de la lune de miel. J'entre dans la phase « réalité ». Je commence à m'ennuyer. J'ai des pensées du style : « à quoi ça sert... la vie est de la merde... » Tout pour me remonter le moral, quoi ! Attention à la casse. Mes relations amoureuses précédentes se sont souvent terminées là. Heureusement que ma thérapie m'apprend beaucoup. Avant, je voyais souvent dans les autres une solution à ma vie. Je sais que notre relation a des chances de durer parce qu'Alain n'est pas la solution à ma vie. Jamais plus personne ne le sera, d'ailleurs. J'en ai fait le deuil.

Si je n'avais pas fait les deuils nécessaires, c'aurait pu être encore lui. Mais notre relation serait déjà terminée, j'en suis sûre.

C'est vrai que j'ai changé. Mes relations aussi. Je retrouve l'essence de mes liens avec toutes les personnes importantes avec qui j'ai cheminé avant et pendant mon rétablissement. Et tout ce qui pouvait être tortueux et embrouillé devient simple et limpide. Cela me fait du bien. Ce qui est difficile quelquefois, c'est mon habitude du *buzz,* de l'absolu. Il faut que ça vibre, que ça « fesse » pour me soulager ! Mais le taux vibratoire qui soulage n'est pas le même que celui qui fait du bien. Pour moi, c'est tout un apprentissage qui se fait doucement. Quand on ne sait pas comment se faire du bien, on est malhabile au début.

De temps à autres, je reviens à mes anciens *patterns.* Je crée moi-même les situations critiques. Par exemple, j'ai tendance à défaire ce que j'ai fait. Mais maintenant, ça ne dure pas. Certaines fois, je peux même m'arrêter avant. Je me regarde dans un miroir et je me fais un clin d'œil, l'air de me dire : « Je te reconnais, vieille branche ! » Et ma relation avec Alain est limpide. Si je m'ennuie, je le lui dis, simplement. Et il le prend simplement.

Jeanne Dark des abattoirs

Une de ces journées où j'étais dans mes humeurs de « La vie est un tas de merde », j'ai accepté de jouer dans *Jeanne Dark des abattoirs* parce que l'atmosphère de la pièce confirmait ce que je pensais. Le monde dans lequel évoluent les personnages de cette pièce est un monde complètement dominé par un matérialisme outrancier qui sent justement la merde. Mais quelques idéalistes de l'*Armée du Salut* essaient bien naïvement de ramener le troupeau à une forme de spiritualité.

Pour je ne sais trop quelle raison, après la lecture en groupe, Lorraine Pintal, metteure en scène, a fait des coupures dans le texte. Elle a supprimé beaucoup d'extraits ayant trait à la religion. Mon rôle devient deux personnages dans un. Les rôles de Schneider, un lieutenant de l'*Armée du Salut,* et de Martha, ange gardien de Jeanne, sont jumelés. Il en sort une matrone qui fait des discours à l'emporte-pièce et qui tente de protéger Jeanne contre elle-même, jusqu'à ce qu'elle l'abandonne comme tous les autres pour s'allier au roi de la viande et à Slim, un vrai diable. C'est la pièce la plus noire que j'aie jamais jouée.

Ma santé m'inquiète

Je joue la pièce de Tremblay le midi, et celle de Brecht le soir. Je suis épuisée. Ma gorge n'en peut plus. Pour me donner une chance, je ne fume pas ou presque. Et je continue. Il ne me reste que quelques jours à ce régime-là. Après, quand je n'aurai que les représentations de *Jeanne Dark des abattoirs,* ce sera plus facile.

Mais le mal devient plus présent, même si je n'ai qu'une seule pièce. Je vais voir un spécialiste. Il est question d'opération. Il me prescrit un médicament. En attendant de voir si la situation s'améliore, il me conseille de ne pas fumer, de ne pas parler entre les représentations et de me reposer beaucoup. J'ai tellement peur ! Je suis totalement docile. Je me repose. Et tout en me reposant, je pense : « Non. Ce n'est pas possible d'avoir fait tous ces efforts-là pour aboutir à un cancer de la gorge... »

J'ai peur. Je suis comme un chat dans un coin qui ne bouge pas et prend son mal en patience. J'attends le verdict. Le soir, je joue quand même. Je ferai toutes mes représentations jusqu'au bout. Le soir de la dernière, je repartirai heureuse de cette expérience extraordinaire, mais soulagée d'avoir terminé. Soulagée à cause de ma santé physique chambranlante, mais aussi parce que ma santé psychologique en a pris un dur coup.

À la fin de l'été, avant la saison de théâtre, malgré quelques périodes sombres, j'étais le plus souvent dans une belle petite bulle de bien-être, empreinte d'une spiritualité plutôt sécurisante. Mais la charge de la réalité crue de Bertolt Brecht a mis ma petite bulle sérieusement à l'épreuve et a vite fait de faucher quelques-unes de mes petites illusions sur l'humain. Je sors de cette pièce avec la gorge souffrant d'inflammation et serrée d'émotions amères et tristes. La vie est plus grise. Est-ce parce que je suis à bout de fatigue ? Mon automne a été très chargé. J'ai aussi fait des enregistrements pour les téléromans *Sous un ciel variable, Graffiti* et *Triplex.* Il est temps que je m'arrête. Nous sommes le 10 décembre 1994. Je prends un congé d'un mois. Le temps de bien vivre les Fêtes.

Ma fille est loin, cette année. Elle est en Europe depuis la fin de l'été. Elle étudie maintenant là-bas. Elle me manque.

Chapitre 25

LA MAISON

Mon médecin me dit que ma gorge est rétablie. Ouf ! Ma décision est prise : je dois arrêter définitivement de fumer. Ma date est fixée. Je suis à la fin de ma thérapie. Je demande à Nicole quelques séances de plus pour m'aider dans ce nouveau sevrage. Je me promène. Je vais à la campagne. Je fais des marches. J'essaie de profiter de cette fin de décembre pour m'occuper de moi et être en forme pour recevoir ma petite famille à Noël.

Ma fille est arrivée de Paris, hier. Elle va passer Noël avec nous. J'ai fait plein d'emplettes. Et, encore une fois, ma comptable ne voit que du rouge. Mon fils David a maintenant une amie qu'il aime et dont il est visiblement très aimé. Et Benoit s'est enfin trouvé du travail. Il a un objectif sérieux : se mettre des sous de côté pour s'acheter une guitare superbe. Encore cette année, nous n'allons pas au *party* de Noël des Bégin.

Évidemment, il y aura quelques petites visites. J'irai certainement voir ma mère. Je la vois d'ailleurs assez régulièrement. C'est sûr que, au début de mon rétablissement, je la voyais un peu moins. Pendant certains moments de ma thérapie, j'éprouvais quelques difficultés à la rencontrer, à cause de ce que j'avais à régler à l'aide de ma thérapeute. J'ai eu beaucoup de ménage à faire. Et ce genre de ménage ne se fait jamais sans lever quelques poussières... et des « gros minous » aussi.

La saison reprend

Les Fêtes se sont joyeusement passées. Je reprends mes rôles dans *Sous un ciel variable, Graffiti* et *Triplex*. Ma thérapie se poursuit. J'arrête de fumer. J'espère que je vais tenir bon. Et vlan ! Je refume. Cette fois-ci, j'espère que je vais « lâcher »... Ça marche !

J'ai un projet de film italien, joué en italien, prévu pour le mois de mai. Je devrais aller tourner là-bas, en Italie. Ce film-là ne peut se faire qu'au printemps ou à l'automne. Je dois bientôt faire aussi l'émission de Scully au canal RDI sur la santé. Il sera sûrement question de la *dope* et de mon rétablissement. Il y a aussi un *Ad lib* dont le thème sera la chanson québécoise et ses auteurs. Je chanterai !

La maison

Je n'ai jamais eu de maison à moi, comme si je n'avais jamais pu me fixer. Comment aurais-je pu « habiter » (dans le plein sens du mot) un lieu quand je ne m'habitais pas moi-même ? Il faut croire que je m'habite un peu plus, parce que je me suis sentie suffisamment apte à acheter un joli petit condo en ville. Et j'ai été capable d'avoir le crédit nécessaire pour l'hypothèque. C'est magnifique !

J'ai déjà obtenu du crédit, il y a deux ans, pour changer de voiture. La *Pinto* que Gaétan m'avait donnée était essoufflée après tant de route. Mais qui aurait cru qu'on me ferait confiance pour l'achat d'une maison, à moi ? C'est signé chez le notaire depuis un certain temps. J'enménagerai au plus tard à la fin de juin.

De nouvelles inquiétudes

Je viens d'apprendre que *Triplex* et *Sous un ciel variable*, c'est terminé. Pour cette année ou pour tout le temps ? Je ne sais pas encore. La production italienne est repoussée à septembre. Et la vieille sorcière de l'insécurité financière réapparaît dans toute son horreur. C'est pire depuis que je suis propriétaire. La peur du manque avec, en plus, la peur de perdre quelque chose. On n'est jamais sûr de rien ! Et dire que j'avais décidé de ne pas faire de théâtre cet été, qu'un peu de repos me ferait du bien... J'essaie de faire confiance. C'est facile de faire confiance quand tout va bien. J'essaie de demeurer « centrée » quand même. J'ai un toit sur la tête, trois repas par jour, des enfants qui me sont revenus, quelqu'un qui m'aime. Je suis loin d'être à plaindre ; mes vrais besoins sont comblés. Puis, il y a une petite voix qui dit : « Peut-être qu'ils t'oublient pour un bout de temps, qu'ils trouvent qu'ils t'ont assez vue, qu'ils te laissent sur la tablette pendant six mois… » L'autre petite voix : « Aie confiance. Tu viens tout juste d'apprendre ces mauvaises nouvelles-là. Tu as un peu d'argent d'avance. Profite donc de ce répit pour te reposer. » Facile à dire ! Pour chasser les mauvaises idées, je fais de la marche. Ça me fait prendre l'air. Ça nettoie le système. Et pendant ce temps-là, je ne sens pas le besoin de fumer et je deviens moins inquiète. Il paraît que l'exercice fait sécréter au cerveau une espèce de drogue naturelle, l'endorphine. Sait-on jamais. C'est peut-être à cause de ça que bien des gens font de la marche ?

La réponse

Mon agent me téléphone. On me propose un message publicitaire. La vie me renvoie la balle. André Brassard m'offre un rôle dans la pièce *Mère Courage* de Bertolt Brecht. Il me réserve le rôle d'Yvonne, une courtisane que l'on verra jeune et que l'on reverra vieille. C'est une courtisane qui a un noble but. Elle ne travaille pas uniquement pour elle-même. Elle s'élève en se servant de son pouvoir auprès des hommes pour aider Mère Courage. Encore une fois, je suis surprise par cette demande. André Brassard est un grand metteur en scène, fort intelligent, créateur à souhait et très sensible.

L'audition

Il y a des jours où il faut sortir tout son cran. Aujourd'hui, c'en est un. J'auditionne pour obtenir le rôle de Betty Bird dans *Demain matin Montréal m'attend*. Cette comédie musicale reprendra l'affiche à l'automne de 1995. Depuis une semaine, je suis dans la maison à essayer la chanson. Je la fredonne, je la siffle, je la dis et la tourne dans tous les sens. Je la sens ! Je la leur chante en y mettant mon âme, mon cœur et mon ventre. J'attends les résultats.

Ils ne se font pas trop attendre. Je l'ai ! J'aurai un automne stimulant avec le Brecht et le Michel Tremblay. Je participerai aussi à un autre film. C'est à l'état de projet. J'y jouerai cinq scènes. C'est tout ce que je peux en dire pour le moment. Ce qui est drôle, c'est que, maintenant, avec mon automne déjà si bien rempli, c'est moi qui serai peut-être obligée de refuser de jouer dans le film italien.

La séduction

On m'offre souvent des rôles de courtisane ou de séductrice. Présentement, je vis une vraie histoire d'amour au quotidien. Je suis loin de la séduction. C'est bon de vivre l'amour sans toujours y avoir recours.

Elle a toujours été un moteur important dans ma vie, sinon le moteur principal. J'ai été obligée ou je me suis obligée de passer par elle pour aller chercher à peu près tout ce dont j'avais besoin. Pour moi, c'est un curieux mélange de quête d'amour, de manipulation et de mensonge. Mais on y trouve aussi une partie qui reste pure. Tout dépend de l'interprétation de l'autre. Par exemple, un ange pourrait fort bien être séduisant.

Un fait est sûr : elle nous aide à aller chercher une réponse à nos besoins. Il y a là une volonté ou un désir d'être accueilli, d'être aimé ou d'être désiré. Être voulu. Don Juan ne va pas chercher ce qu'il veut par la force, la violence. Il lui faut être voulu par l'autre. Donc, il lui faut passer par l'amour, et le chemin le plus valorisant pour lui est la conquête. C'est l'arme qui sauve la vie. C'est l'arme qu'on utilise pour combler des besoins qu'on ne peut pas admettre dans notre vulnérabilité.

Quand on rencontre quelqu'un, c'est pénible d'ouvrir sa petitesse, son manque d'amour, son besoin d'être voulu. Trop pénible pour qu'on puisse l'exprimer directement. On préfère choisir des détours qui sauvent l'*ego*. Ce n'est pas surprenant que, une fois le charme rompu, les deux partenaires se retrouvent parfois dans le désert.

Mais je demeure quand même convaincue qu'une partie du phénomène est pure. Mais, dans tout ce qui est sincère, dans tout ce qui est haut, dans tout ce qui est aveu, dans tout ce qui est lien, il existe aussi une partie de séduction envers soi-même. S'embrasser, s'unir...

Toutefois, un bon ménage s'impose entre celle qui ne nous appartient plus, et celle qui nous appartient vraiment. Et, pour parler de la mienne, j'ai eu à faire là aussi un très gros ménage, car je suis passée par elle souvent et je me suis laissé avoir souvent par elle. Dire que je n'ai pas présenté mon beau profil à Alain quand je l'ai rencontré, ce serait mentir. Mais j'ai vite senti que je pouvais lui dire les « vraies affaires » et qu'il était capable de les entendre et de les écouter.

Sur scène

Par ailleurs, la séduction a un très bon côté. C'est la grande inspiratrice du métier que j'exerce. Qu'est-ce qui pousse constamment chaque comédien et comédienne à se dépasser, à se projeter au-delà de la limite permise, sinon elle ? Tout l'art de la scène est alimenté par ce désir profond d'exprimer, à travers soi, quelqu'un d'autre en empruntant un personnage qu'on fait sien momentanément à chaque représentation.

Mais il y a des différences importantes entre la séduction de la scène et celle des amours. En amour, le seul public est le ou la partenaire, et le charme ne dure que le temps qu'il doit durer. Et c'est souvent la personne conquise qui se fait prendre.

Sur scène, la séduction est celle d'un ensemble de personnes. Elle ne dure que le temps d'une pièce, d'un film ou d'une chanson. Et la seule personne qui peut en être la victime n'est pas le public momentanément sous l'emprise de l'illusion, mais plutôt le comédien ou la comédienne qui se prendrait à son propre jeu.

En haut, dernière photo prise à Perkins, avant mon départ pour la Maisonnée d'Oka. En bas, quinze jours après mon arrivée à la Maisonnée, je « m'emmieute ».

Au sortir de ma thérapie, ma fille vient me visiter.
Mon ami Gaétan nous a invitées à la pêche.

Ma fille et moi prenons l'exercice très au sérieux.

Je chante à la télé... On dirait que je pleure.

Une autre belle visite de ma fille.

Daniel Malenfant et moi au *Nouvel Hôtel*, où je joue les rôles de Dietrich et de Mae West dans *À chacun son ciel*, de Jean Blanchette.

Mae West.

Au téléthon Jean Lapointe, où j'ai été invitée à interpréter
une chanson de Marlène.

Mikie Hamilton et moi. Une amitié passionnée.

Je sers souvent de « corps » aux mythomaquillages créés par Mikie.

Ces maquillages soulèvent beaucoup d'émotions différentes
chez le modèle...

...À vous de juger !

Le 31 août 1990 : mes « amies de fille » fêtent mes quarante-cinq ans.

Béatrice Picard, Daniel Malenfant, Clotilde,
Anne-Marie Alonzo et moi.

1990-1991 : Dans
Une histoire inventée,
de Marc-André Forcier.
Sensuelle Alice !

Sur la scène du chic *piano bar* où le trio se produit,
dans *Une histoire inventée.*

Alice,
dans toute sa splendeur.

L'auteur-réalisateur, Marc-André Forcier,
entouré de quelques comédiens de son film.

Jean Lapointe est devenu « trompettiste-séducteur »
pour les besoins du film.

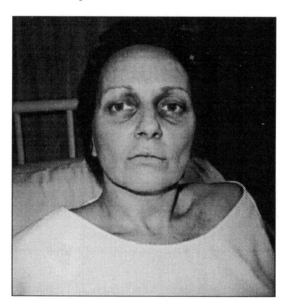

1991 : ici, je suis Françoise Vidal, du film
J'te demande pas le ciel, de Pierre Gang.

Il y a des jours plus difficiles que d'autres...

Dominique, ma fille, devenue jeune femme.

Le Festival de Trois, où je renoue avec la chanson.

C'est l'amour fou entre ma fille et moi.

Benoit et Dominique : un beau duo.

Mes trois enfants, jeunes adultes, et moi.
Ils sont tous plus grands que moi.

Une grande amie, Anne-Marie Alonzo.

Les *Fleurs d'acier* en tournée.

C'est bon, le vent du large !

Les *Fleurs d'acier* au repos.

Une halte à Sherbrooke, devant mon ancienne école.

La pièce *Tu faisais comme un appel* nous entraîne à Limoges.

Monne et moi, à Paris.

Alain est venu me rejoindre à Paris.

Le jeudi, 8 octobre 1992, à Paris : amoureuse !

Alain vient au Québec pour Noël 1992.
« Brrrrr... Il fait froid au Québec ! »

Nous retournons chez lui, à Limoges, pour le jour de l'An : malgré le sourire que nous affichons, nous sommes tous les deux morts de peur...

À l'été de 1993, je suis Chantal Cyr dans la pièce *Ni vu ni connu,* présentée au Théâtre de Sainte-Adèle.

Notre premier été, à Alain et moi.

Été 1994 : ma fille s'envolera bientôt vers la France, où elle étudie.

Me voici en Hélène suppliante, dans *Les Troyennes*, d'Euripide.

Dans *Jeanne Dark des abattoirs*, j'essaie de sauver Jeanne.

Mon amie d'enfance et de toujours, Johanne Cadorette-Lévesque,
prise sur ma terrasse arrière en cet été de 1995.

MAINTENANT

Chapitre 26

LE CONDITIONNEMENT

Aujourd'hui, parce que j'ai accepté d'aller voir jus-qu'à sa source mon mal à vivre, je comprends mieux ce qui m'est arrivé. Quand je pense à mon enfance, je sais bien maintenant que ce qui m'a le plus marquée n'a pas été ce dont je me souviens depuis toujours, mais bien ce que j'ai senti le besoin d'oublier pendant quarante-cinq ans...

Non voulue avant ma naissance ni tout à fait acceptée après, j'ai été obligée de prendre ma place de force. Connaissant très tôt le marché conclu entre ma mère et ma grand-mère pour me permettre de naître, je me suis sentie très mal à l'aise, malheureuse même. D'autant plus que je séjournais tantôt chez ma mère, tantôt chez ma grand-mère. Quand je restais chez ma mère, je devais déployer tellement d'efforts pour avoir ma place ! Quand j'allais chez ma grand-mère, c'était différent, mais tout aussi dérangeant.

Elle me négociait l'intérêt qu'elle me portait, selon l'information qu'elle espérait me soutirer sur ce qui se passait chez mes parents. Elle me harcelait pour que je parle. Devant mon silence, elle y revenait par d'autres détours. J'étais manipulée pour que je « trahisse ». J'avais cinq ans. C'était l'enfer. Si, par malheur, fatiguée de son inquisition, je laissais s'échapper quelques bribes très vagues, elle s'empressait d'en faire tout un chapitre qu'elle répétait à ma mère. Et les deux femmes me rentraient dedans ! « T'es rien qu'une bavasseuse ! » J'étais trahie à mon tour.

Inutile de dire qu'après une expérience comme ça, j'ai enduré bien d'autres interrogatoires sans dire un seul mot. Interrogatoires qui duraient de plus en plus longtemps à cause de mon silence. Je ne me sentais aimée nulle part. Et j'avais tellement besoin d'être aimée...

Pour cette raison, j'ai développé une débrouillardise extrême et je m'efforçais de toujours apporter des solutions aux problèmes de ma famille pour que, enfin, on m'aime. Toujours apporter quelque chose en échange d'amour. Je sentais que, seule, je ne valais rien ; il fallait donc que j'apporte quelque chose. Donner une réponse à quelqu'un, conclure un marché avec un autre, être utile là, me montrer plus brillante ailleurs, gagner des concours, devenir indispensable pour certaines choses. C'était faire n'importe quoi pour apporter quelque chose, me sentir nécessaire et avoir l'illusion d'être aimée. Petite, j'acceptais d'aller chez ma grand-mère, pour ma mère. Acceptation que je présentais à mon avantage en déclarant que j'étais la privilégiée parmi ses enfants, puisque, pour alléger le fardeau familial de ma mère, c'était moi qui étais l'élue. Mais au fond, j'étais loin d'être dupe.

J'apportais aussi à ma mère mon silence. Personne ne me ferait plus parler. Je taisais même les choses que j'aurais dû dire. Ces choses que j'ai gelées pendant tant d'années. Je me portais à sa défense quand les paroissiens très chrétiens se moquaient d'elle à l'église. Elle était toujours enceinte et devenait très ronde.

Adulte, je suis devenue plus riche que les autres ; je lui ai offert des voyages, des vacances, je lui ai acheté des cadeaux superbes, je lui ai même fait bâtir une petite maison à l'intérieur de la grande maison que j'habitais quand je suis demeurée à Chicoutimi. Tout cela pour être aimée d'elle.

Mais si ce contexte difficile a, depuis mon tout jeune âge, alimenté mes névroses, il m'a donné, en contrepartie, une grande capacité de bravoure, de risque, d'endurance, de courage et de dépassement. Le dépassement a fait que j'ai réussi à devenir indispensable pour ma mère, et aussi pour ma grand-mère, à un certain moment. En ce qui a trait à ma mère, si je n'étais pas en thérapie, je serais encore la solution à sa vie. Ma grand-mère, elle, avait besoin de moi pour calmer mon grand-père dans ses périodes de non-abstinence. Personne d'autre n'était capable d'intervenir auprès de lui et d'obtenir les résultats voulus. Moi seule. Mais il faut dire que ces deux femmes, très importantes dans la formation de ma personnalité, avaient eu, elles aussi, un lot assez lourd. Ma grand-mère n'avait pu avoir d'enfants à elle. Quand on sait jusqu'à quel point la femme, à cette époque, était valorisée par le fait d'être mère, on comprend mieux sa souffrance de n'avoir pu avoir d'enfant. On comprend mieux aussi le contrôle qu'elle exerçait sur ma mère, qu'elle avait adoptée – je devrais dire plutôt « prise en charge », puisque ma mère n'a jamais été adoptée légalement. À cette époque, on prenait souvent soin des enfants orphelins sans les adopter. D'ailleurs, ma grand-mère, décédée après mon grand-père, n'a pas légué sa fortune à ma mère. Elle devait considérer qu'elle l'avait assez aidée de son vivant.

Mais cette aide ne venait jamais sans contrôle ni échange de la part de ma grand-mère. C'est ainsi que ma mère a vécu une vie tout à fait autre que celle qu'elle aurait aimé vivre en faisant à ma grand-mère les enfants qu'elle-même n'a jamais pu avoir. C'est tout un lot !

Deux maisons

Chez mes parents, nous avions, dans la cour, une petite maison pour jouer. Tous les enfants pouvaient y entrer et inviter des amis. Chez mes grands-parents, ma grand-mère m'avait fait bâtir une petite maison dans laquelle il y avait deux petits lits. Quand j'étais insupportable, elle m'envoyait dormir là. Quand je gardais une petite amie à coucher, c'était là que nous passions la nuit. N'entrait pas qui voulait chez ma grand-mère.

Cette petite maison avait pour moi un tout autre sens que celle que mes parents avaient érigée dans leur cour. J'ai toujours eu deux maisons. Même aujourd'hui, quand je regarde des maisons à vendre, je regarde toujours pour voir s'il n'y a pas une petite maison dans le jardin ou s'il y a de la place pour en bâtir une.

D'ailleurs, quand ma mère était venue vivre avec nous, à Chicoutimi, je me suis occupée d'elle un peu comme une mère. Et comme ma grand-mère l'avait fait, j'ai fait bâtir à ma mère une « petite maison ». Cette petite maison a pris la forme d'un deux pièces et demie à elle, bien à elle, encastré dans la grande maison que nous habitions. « Rien ne se perd, rien ne se crée ! »

Mon père

La troisième personne extrêmement déterminante dans mon conditionnement est mon père. Mon père a été, en quelqe sorte, « ma mère ». C'est lui qui me berçait. J'étais une de ses préférées. Je me sentais « voulue » avec lui. Je le comprenais. Et je pense qu'il me comprenait. Mais mon conditionnement était souffrant, parce que mon père était un être souffrant. Qu'est-ce qu'il faut faire quand on aime quelqu'un ? Jusqu'où peut-on aller pour répondre aux besoins de l'autre ? Qu'est-ce qu'on peut faire pour que l'autre ne souffre pas ? Jusqu'où peut-on aller pour que l'autre n'ait pas de peine ? Mon père était un être bon, mais il était psychologiquement malade, très malade. La peur, l'instabilité, la paranoïa, la démence, la maladie, l'irréalité habitaient son monde. Mon système de défense a fait en sorte que j'ai idéalisé au maximum tout ce que cet homme-là portait, parce que le besoin d'être aimée était plus grand que tout.

J'ai commencé à regarder qui était mon père quand j'ai commencé à prendre de la *coke*. Avant, jamais je n'avais été capable de voir une seule petite ombre au portrait que j'avais été « obligée » de m'en faire. Mon conditionnement a été, avec lui, de répondre à... Qu'est-ce qu'il faut faire pour répondre, jusqu'où peut-on aller pour répondre à ? Parce que cela se paie. Être voulue, ça se paie. Être aimée uniquement pour moi, ça ne se peut pas. Donc, il faut payer.

De mon père, j'ai hérité aussi mon irresponsabilité par rapport à l'argent et sa fantaisie. Il fut un temps où, quand mon père faisait faillite, je faisais aussi faillite dans ma vie. Je faisais de faux chèques comme lui. Mon père était très généreux, mais pas avec son argent. Moi j'ai déjà fait des chèques qui n'étaient même pas à moi. Il avait un magasin de meubles. Il donnait les meubles. Il faisait des cadeaux somptueux. Je faisais beaucoup de beaux cadeaux. *Tony the great ! France the great !*

En dernier, quand il était encore à la maison, pendant que, moi, je travaillais chez le curé pour aider à payer ses dettes, le jour de sa paie, il arrivait à la maison les bras chargés de cadeaux. Irréel ! Quand mes frères se mettaient en colère contre lui, je ne comprenais pas. Je disais : « Mon Dieu qu'ils sont méchants ! Faut le comprendre, cet homme-là... » Pour moi, personne ne l'a jamais compris... Juste moi... Juste moi...

J'avais quinze ans et demi quand mon père a quitté la maison. C'était le jour de mon premier mariage. Jusqu'à sa mort, il m'a écrit des lettres flamboyantes que j'ai gardées longtemps. Un jour, je les ai détruites. Ma thérapie m'a fait voir ce que j'avais à voir et me permet de guérir doucement...

Maintenant, je vois mon père tel qu'il était. D'un côté, il était très bon père et nous prenions plaisir à vivre avec lui. Son intelligence vive, sa sensibilité à fleur de peau doublée d'une créativité exubérante en avaient fait un artiste très talentueux et un savant polyglotte qui manifestait autant de génie dans la pratique des langues étrangères que dans l'exécution d'un dessin, d'une peinture ou d'une œuvre musicale. D'un autre côté, c'était un être profondément malade qui m'a marquée très fortement et dont l'influence s'est manifestée dans bien des domaines de ma vie, tant dans mes rapports avec la réalité et avec l'argent que dans mes relations affectives.

Chapitre 27

L'AFFECTION DES FEMMES

Je vous ai déjà dit que la révélation la plus violente et la plus importante de ma thérapie à la Maisonnée était mon besoin d'être aimée des femmes. Si je sens le besoin d'en reparler, c'est parce que je sais que plusieurs femmes hétérosexuelles sentent ce que j'ai senti et éprouvent certaines difficultés à porter ce sentiment. Elles se demandent si elles sont normales. Certaines vont aller d'un sexe à l'autre sans jamais avoir de réponse. D'autres vont nier, faire comme si elles ne sentaient rien, et sont plus ou moins heureuses.

Je crois que, dans mes relations avec les femmes, et ce, jusqu'à tout récemment, j'avais très peu connu de liens amicaux. Ce que j'entends par liens amicaux, ce sont des liens affectifs qui ne sont pas perturbés ou perturbateurs. Jusqu'après mon sevrage, toutes mes affections féminines étaient déterminées par mes premières relations avec ma mère, mon père et ma grand-mère. Tantôt, j'avais une amitié avec quelqu'un chez qui, inconsciemment, je retrouvais ma grand-mère. Avec cette personne-là, sans en être consciente, j'adoptais automatiquement la même attitude, j'avais les mêmes besoins, les mêmes attentes et les mêmes craintes que la petite France avec sa grand-mère. Je transposais tous les mêmes schémas de ma relation avec ma grand-mère. J'empruntais les mêmes sentiers, sans le savoir, et, finalement, j'obtenais les mêmes résultats qu'avec ma grand-mère. Si, toujours inconsciemment, j'identifiais ma mère dans l'autre, je cherchais l'inconditionnel absolu jusqu'au rejet. Et quand c'était mon père, cela devenait extrêmement tortueux et torturant.

Toutes mes affections féminines étaient très complexes, jamais simples. La seule amitié toute simple, sans ambiguïté, sans trouble, est celle que j'ai avec Marie-Jan. Cette amitié relativement récente a pris naissance pendant mon rétablissement. Mais les autres relations féminines importantes sont des plus complexes. Même si elles font partie de ma quête et appartiennent à ce que je porte, j'y ai ressenti un malaise certain.

Comment trouver ma place là-dedans ? Comment nommer ça ? Comment faire le ménage sans emprunter la route dessinée d'avance qui me dicterait ce que je devrais être et me catégoriser de façon bien précise ? Notre éducation et la pression sociale nous installent très tôt dans une sorte de lieu dont les murs sont tapissés de flèches orientées vers un ensemble de tiroirs. En ouvrant chacun de ces tiroirs, nous devrions découvrir celui auquel chacun d'entre nous correspond et, par le fait même, nous sentir bien. Nous devrions aussi nous sentir bien en mettant un nom sur ce que nous sentons, ressentons ou ne sentons, ni ne ressentons.

Ce n'est pas comme ça que, dans la « vraie » vie, ça fonctionne ! Parce que, si nous prenons un de ces tiroirs-là, soi-disant parce qu'il y en a un dans lequel nous devrions entrer, et que, une fois à l'intérieur, nous ne sommes pas bien, il faut chercher. Il faut trouver sa propre route, la vraie. C'est celle-là qui est la plus souffrante et la moins rassurante, parce qu'il n'y a aucun exemple, aucun modèle. Personne n'a ouvert le chemin avant, même pas nous. Mais c'est celle-là qui fera qu'un jour nous serons en paix avec nous-mêmes et que nous serons vraiment bien.

Certaines personnes découvrent rapidement le tiroir qui leur convient. D'autres le trouvent plus difficilement, et certaines autres, jamais... à moins de s'en faire un. Par exemple, une chanteuse qui sait chanter d'une seule façon n'a pas le choix. Elle n'aura qu'une seule voix, même si elle peut choisir entre plusieurs chansons. Mais où se situe celle qui peut chanter de trente façons différentes ? Elle est mal prise dans le fond, même si elle peut avoir accès à une quantité infinie de textes et de musiques.

Une homosexuelle dont l'orientation est claire n'a pas le choix : elle est homosexuelle. Une hétérosexuelle qui n'est attirée que par les hommes n'a pas le choix non plus. Mais il y a plein d'autres personnes qui ont un problème que je qualifierais « d'abondance », parce qu'elles ont accès à plus. Mais comment y avoir droit sans culpabilité ? Je ne parle pas, ici, nécessairement de bisexualité. Je parle d'émotions, de sentiments. Et, fait nouveau, les femmes ont moins peur de se dire qu'elles s'aiment, qu'elles s'apprécient. Elles osent même se l'écrire dans des lettres, même si l'on dit que les écrits restent. Mais leurs craintes s'élèvent souvent quand elles éprouvent quelque trouble par rapport à quelqu'un de leur sexe. Tout de suite, le système de défense se met en marche. Pourtant, souvent, ce sentiment n'appartient pas à leur identité sexuelle, mais plutôt à de bien vieilles blessures. Et si la sexualité intervient, cela devient une question de cheminement. Et peut-être aussi une façon de savoir si les doutes éprouvés sont fondés ou non...

Souvent, nous essayons, inconsciemment, de résoudre les relations affectives de notre enfance à travers nos relations présentes. C'est ce qui m'est arrivé longtemps. Même ma relation avec ma première amie, Johanne, est loin d'être simple. Non pas qu'il y ait une quelconque ambiguïté affective, mais c'est un lien perturbé sur lequel je travaille depuis belle lurette. Parce que, souvent, je me sens responsable envers elle. L'amitié, c'est un amour inconditionnel ; ce n'est pas se sentir responsable de quelqu'un. Au contraire ! D'où vient ce sentiment de responsabilité, sinon du conditionnement de mon enfance ?

Un autre exemple d'affection perturbée : Mikie. Mikie est une amie depuis 1967. Une femme extraordinaire. Une créatrice superbe qui manie aussi bien le pinceau de maquilleuse que celui de peintre, et qui a une qualité que je lui envie par-dessus tout : elle ne s'ennuie jamais. Notre relation est passionnée. Un jour elle arrive, nous sommes heureuses, et c'est la fête ! Un autre jour, nous abordons un sujet épineux, et c'est la chicane ! Elle repart. Puis, on ne sait trop comment, un jour, nous nous retrouvons. Nous avons l'air d'un vieux couple et, pourtant, nous ne l'avons jamais été. Cela fait vingt-six ans que ça dure...

Dans mes relations amicales, je pourrais en trouver encore facilement une bonne dizaine fondées sur cet amour inconditionnel non perturbé que je recherche en amitié. Mais l'amour inconditionnel non perturbé existe-t-il ? Ou est-ce, encore une fois, mon enfance qui me joue des tours en m'envoyant à la quête d'un idéal d'amie qui ressemble moins à une amie humaine qu'à une mère idéalisée ? La vie est difficile ! Jusqu'où ira donc le conditionnement ?

Chose certaine, nous arrivons dans la vie adulte avec notre enfance, sans que nous puissions la reconnaître. Ce n'est qu'en faisant un bon ménage que nous pouvons y voir clair, comprendre nos émotions, nos sentiments et notre propre comportement. Ce n'est pas facile ! Mais la lumière est tellement plus « vivable » que l'obscurité.

Chapitre 28

L'AMOUR DES HOMMES

Je m'amuse en pensant à la tête que feraient les hommes qui ont partagé ma vie si je disais à chacun d'eux qui il a vraiment été pour moi. Ma mère... Mon père... Ma grand-mère... Les trois en même temps... Ou tout à fait le contraire, par réaction. Et si j'ajoutais, en plus, pourquoi je suis tombée amoureuse. Alors là, c'est leur *ego* qui en prendrait un coup.

Malheureusement pour eux, mais aussi pour moi, c'est mon refus du succès qui provoquait souvent ce que je pourrais appeler ma « chute amoureuse ». Le succès entraîne habituellement avec lui une réussite financière. J'ai souvent utilisé le succès, et la réussite qu'il entraînait, pour aller quêter ce dont j'avais besoin : l'approbation, une place au soleil, l'amour des autres. Combien de gros cadeaux ai-je donnés ? Un nombre faramineux. Mais je ne pouvais utiliser le succès et l'argent qu'il m'apportait que jusqu'à un certain point. Jusqu'à ce qu'il ne me serve plus à combler ce trou béant que je portais. Et, quand je dépassais le point où le succès ne me servait plus, pour ne pas voir que je quêtais l'amour des autres, il me fallait retourner ce succès contre moi. Je défaisais alors ce que j'avais construit : ma carrière, cette carrière qui marchait malgré tout, grâce à la petite France habile et débrouillarde.

Quand j'avais du succès, je tombais amoureuse et m'éloignais du métier. On dirait que mon inconscient me rappelait à l'ordre sans que je le sache. « Le succès, ça ne te donne rien... C'est l'amour, que tu cherches... » C'est ainsi que je revenais au pôle « amour », sans trop être consciente de ce qui se passait vraiment. Tomber en amour pour ne pas me voir...

Maintenant, avec Alain, il y a des différences importantes. Par exemple, même si ma carrière était en pleine remontée quand je l'ai rencontré, je ne me suis pas éloignée de mon métier pour autant. Au contraire, non seulement je continue à connaître le succès, mais encore, je poursuis ce nouvel élan professionnel si bien amorcé.

Un autre phénomène important et nouveau pour moi est d'avoir franchi le cap de la fin de la lune de miel sans rompre. C'était toujours au moment où l'effervescence fusionnelle s'éteignait qu'il y avait rupture avec mes partenaires.

Aujourd'hui, c'est différent. J'accepte la réalité de la vie quotidienne à deux et je ne prends pas sur moi toute la responsabilité de la relation. Il fut un temps où, par un certain égocentrisme, je m'imputais tout le bon fonctionnement ou tout l'échec d'une relation amoureuse. Maintenant, je sais que c'est à chacun de nous de stimuler et d'entretenir notre relation. Chacun en est responsable. Cela semble peut-être évident pour beaucoup de gens, mais, pour moi qui me sentais responsable du bonheur et du malheur du monde entier, c'est la découverte du siècle !

Chapitre 29

L'AMOUR DE MES ENFANTS... ET VÉNUS !

Souvent le métier m'apporte des réponses que la vie ne me donne pas clairement. Le rapprochement avec mes enfants se poursuit... Je les aime beaucoup. J'essaie de faire de mon mieux et d'être juste aussi. Quelquefois, j'éprouve des difficultés à ne pas retomber dans mes vieux « plis », à ne pas les surprotéger pour compenser le manque qu'ils ont subi pendant la période où j'ai été moins présente.

Il y a trois ans, période où je me débattais avec ce problème, Radio-Québec m'a proposé de jouer le rôle d'un personnage dont je n'ai pas encore parlé, mais qui a été l'un des plus beaux cadeaux que j'aie reçus de mon métier : Vénus, dans *Graffiti,* une télésérie extraordinaire qui reprend sa troisième année d'antenne à l'automne de 1995. Ce personnage m'a mis en contact avec une partie de moi qui m'a fait tellement de bien. Vénus a une maison pour jeunes en difficulté. Elle est seule maintenant. Mais dans le temps où elle était *barmaid* et un peu *mafiosa,* elle a eu un ami qui s'est fait « descendre ».

Un jour qu'elle était allée aux États-Unis avec une amie danseuse et *fan* de Martin Luther King, elle a entendu le fameux pasteur dire dans un rassemblement : « *I had a dream...* » C'est à ce moment-là qu'elle a eu sa révélation. Et, quand elle est revenue, elle était transformée. Elle a ouvert sa maison, où elle reçoit des petites filles battues, abusées, droguées. Certaines s'en sortent, d'autres, non. Vénus porte en elle toutes ces filles-là. Ce personnage n'a rien de commun avec une Vénus coquette. Non. Vénus est toujours en salopettes et n'a pas le temps de penser à la beauté. Elle se dépense sans compter pour ses filles.

Ses préoccupations me rejoignent profondément puisque, dans ma vie personnelle, la Maison Grise pour les femmes itinérantes, la Maisonnée de Laval, pour les toxicomanes, la Maison d'Hérelle pour les sidatiques... et la nouvelle maison qui va s'ouvrir pour les petits enfants séropositifs me tiennent beaucoup à cœur.

Le cadeau de Vénus

De Vénus, j'ai reçu un très grand cadeau : la capacité d'être la mère que j'aurais voulue être. Totalement disponible, avec des moyens et, aussi, avec assez de discernement pour être capable de dire oui ou non quand c'était le temps. Elle m'a fait trouver ma vraie qualité de mère et m'a beaucoup aidée dans mes rapports avec mes enfants.

Depuis trois, quatre ans, je suis obligée, avec eux, de faire attention à ce que je donne, ce que je comprends et ce à quoi je m'attache. Je dois arrêter de surfonctionner pour eux parce que je me sens coupable. Et il faut que je les laisse vivre et que j'accepte et m'accorde aussi le droit de réussir. Ça allait très bien quand je n'avais pas d'argent, mais quand j'ai commencé à en avoir un peu, c'est devenu plus difficile. Il m'a fallu et il me faut encore me détacher, parce que je ne peux pas faire le chemin à leur place et continuer à me déculpabiliser en leur faisant toujours des cadeaux qui pourraient leur rendre la vie bien plus facile.

Maintenant, je dois constamment exercer mon discernement et souvent me faire violence pour ne pas intervenir dans leur vie à certains moments. Il est évident que, s'ils étaient vraiment en mauvaises postures, je ferais des pieds et des mains pour les aider. Mais la vie s'apprend petit à petit, avec ses joies, ses peines et ses difficultés à résoudre. Il faut bien me rendre à l'évidence : je ne peux pas leur donner de solution. Mais je peux continuer à les aimer, à les écouter, à leur apporter une présence chaleureuse et à soutenir leur confiance. Quand je parle de confiance, je ne veux pas dire certitude. J'ai longtemps fonctionné avec des certitudes du style : « Je suis certaine d'avoir ceci ou cela. Je suis certaine que ce projet-là va marcher et que celui-là ne marchera pas. » Aujourd'hui, j'ai de moins en moins de certitudes et de plus en plus confiance. Cette confiance qui demande de lâcher la volonté de contrôler. Cette confiance qui crée une grande ouverture en vivant l'abandon à la vie, en se laissant téléguider.

L'abondance

Mais se laisser téléguider, c'est aussi accepter l'abondance. Cette chère abondance qui m'a créé tant de malaises et a alimenté ma culpabilité si longtemps. Si, sous les cadeaux que je faisais à bien du monde, il y avait ma quête d'amour, il y avait aussi beaucoup de culpabilité. Culpabilité d'avoir plus, sans l'avoir mérité, comme pour payer, rembourser ce que j'ai reçu de la vie qui m'a bénie d'une certaine façon, en m'accordant l'abondance à bien des niveaux.

Encore aujourd'hui, j'éprouve un certain malaise face à cette abondance : c'est une question d'équité. Je sens encore un relent de culpabilité d'avoir été choyée, malgré toute mon histoire. Je crois même que, si je ne sentais pas cette culpabilité, je la créerais... par redevance. Je ne suis pas guérie tout à fait. Je pense souvent : « Je vieillis... Ça s'en vient pour moi aussi. Je vais être un peu moins comme ça, un peu plus comme ça... Ce n'est que justice ! » Je sais que ce que je vais dire peut sembler fou, mais c'est ce que je sens : je suis presque contente de vieillir à cause de l'équité...

En attendant, j'essaie de mon mieux de la faire circuler, cette fameuse abondance ! Par exemple, si un metteur en scène ou une réalisatrice est à la recherche d'un comédien ou d'une comédienne, je lui fais penser à celui ou à celle qui a beaucoup de talent, mais qui, pour une raison ou pour une autre, a momentanément moins de travail. L'énergie doit circuler. Plus chacun et chacune fait son effort, plus ce beau courant devient abondant.

Ma famille

Cette belle énergie qui circule ne va pas sans se diffuser dans mes rapports avec ma famille. Je parle ici de ma mère et ses autres enfants. Si je n'ai pas tellement parlé de chacun en particulier, c'est que, d'une part, ils sont sept et qu'il aurait fallu écrire « La saga des Bégin » dans au moins dix tomes, et que, d'autre part, je ne peux parler qu'en mon nom. Une chose que je peux dire : ma mère et moi, nous nous disons de plus en plus les « vraies » affaires.

Avec mes frères, mes relations sont demeurées les mêmes, empreintes d'une complicité « légère ». Mais, entre mes sœurs et moi, il s'est produit un rapprochement qui crée des liens beaucoup plus profonds qu'auparavant. Nous échangeons de plus en plus nos perceptions sur nous-mêmes et sur notre vie familiale, avec honnêteté et tendresse. C'est bon pour l'âme et le cœur !

Chapitre 30

JE MARCHE !

Demain, je m'en vais pendant dix jours. Je vais faire la Marche des femmes contre la pauvreté. Nous avons neuf revendications, comme le fruit d'une belle gestation. Ça fait deux mois que je m'entraîne et je me trouve extrêmement chanceuse de faire quelque chose, pas seulement pour moi, mais pour les autres.

La pauvreté des femmes
Les femmes sont souvent monoparentales. Les femmes violentées se ramassent souvent avec des petits. Plus de 60 % des femmes travaillent au salaire minimum. La nouvelle et bonne façon de manifester notre force, c'est d'être ensemble. Arrêter de manipuler pour survivre et de se débrouiller seule dans son coin.

Il y a cinq ans, je n'aurais pas eu les moyens physiques ni financiers de faire cette marche.

Parce qu'il faut avoir les moyens pour être en forme et marcher deux cents kilomètres. Les femmes pauvres sont souvent à bout. Quand on est à bout, on ne peut pas se taper vingt kilomètres par jour pendant dix jours. Je marcherai pour les femmes qui n'en ont pas les moyens, et pour moi personnellement. Même si je le fais pour moi, je sens qu'il y a dans cette marche des femmes quelque chose qui me dépasse largement, quelque chose de très grand. Nous partons de trois points différents et sommes mille à faire tout le trajet. D'autres font un bout de chemin, selon leur disponibilité et leur capacité physique. Le 4 juin, nous serons dix mille devant le Parlement.

Je ne sais pas ce que cela va m'apporter à moi. Mais je m'attends à une transformation, peut-être comme celle de Vénus devant Martin Luther King. Je suis encore à faire des choses pour des raisons personnelles en même temps que j'agis pour les autres. Je m'approprie encore quelque chose : je fais la marche pour moi, je me materne, je m'amène marcher et je porte mes neuf revendications personnelles. En faisant ça pour moi, je le fais pour les autres.

Je suis loin d'être une sainte qui peut faire quelque chose uniquement pour les autres ! Mais, à partir du moment où je reconnais mon motif personnel, je ne doute pas ensuite de la générosité que je peux avoir, parce qu'elle est répartie : je porte à la fois mes neuf revendications personnelles et les neuf revendications des femmes contre la pauvreté. Peut-être qu'un jour je n'aurai plus de revendications personnelles, peut-être qu'un jour je n'aurai plus besoin de marcher. Et si j'en ai besoin toute ma vie, je le ferai !

Cette marche-là portera fruit. J'ai confiance. Elle doit absolument porter fruit. Elle porte trop de besoins des femmes pour ne pas donner des fruits. De mon côté, aussi, je m'attends à quelque chose d'important, pour moi. Déjà, il y a le dépassement, la préparation et l'atteinte de l'objectif : me rendre jusqu'au bout...

Mais il y a autre chose de l'intérieur. Je ne sais pas ce que c'est, mais je m'y prépare. Quelque chose va m'arriver... C'est extraordinaire !

À la Maison Grise, maison de réinsertion sociale pour femmes en difficulté, avec, au fond, de g. à d. : sœur Dolorès, Denise et Francesca ; à l'avant, je suis entre Johanne et Jocelyne.

À Longueuil, Marie-Jan et moi attendons le signal de départ
de la Marche des femmes contre la pauvreté.

Une expérience sans égale : j'ai marché les deux cents kilomètres.
J'ai les pieds ronds, mais je suis heureuse à souhait.

ÉPILOGUE

Aujourd'hui, le 25 mai 1995,
veille de la Marche des femmes,
je remets mon manuscrit à mon éditeur.

À la grâce de Dieu !

France Castel

À SUIVRE...

TABLE DES MATIÈRES

REMERCIEMENTS...7

PRÉFACE 11

Chapitre 1
   NOTRE PREMIÈRE RENCONTRE............................ 13

Chapitre 2
   PLACE DES ARTS.. 21

Chapitre 3
   L'AMOUR AVEC UN GRAND D................................ 25

Chapitre 4
   UN ACCOSTAGE TRÈS DIFFICILE ! 31

Chapitre 5
   MA RENCONTRE AVEC LA *COKE* 57

Chapitre 6
   RADIO-CANADA PREND UN GROS RISQUE ! 65

Chapitre 7
   JE PERDS MA FILLE...73

Chapitre 8
   UNE RECHUTE DÉSASTREUSE..............................81

Chapitre 9
   MA DERNIÈRE CHANCE...................................91

Chapitre 10
   LA SOLUTION : LE SUICIDE ?.............................97

Chapitre 11
   LA MAISONNÉE D'OKA :
   PAVILLON DES FEMMES...............................101

Chapitre 12
   PAS QUESTION DE RECHUTE !.........................117

Chapitre 13
   1987-1989 – UN LONG CHEMIN :
   L'AMOUR...125

Chapitre 14
   1987-1989 – UN LONG CHEMIN :
   LE MÉTIER, LES DETTES...............................133

Chapitre 15
   1987-1989 – UN LONG CHEMIN :
   MES ENFANTS..141

Chapitre 16
   LA THÉRAPIE...149

Chapitre 17
   LA REMONTÉE..157

Chapitre 18
   LA REMONTÉE : LA THÉRAPIE.........................165

Chapitre 19
   FLEURS D'ACIER......................................171

Chapitre 20
   MA PREMIÈRE PIÈCE DITE « SÉRIEUSE » 179

Chapitre 21
   LA VIE CHANGE 189

Chapitre 22
   LE BONHEUR 197

Chapitre 23
   DU PAIN SUR LA PLANCHE 205

Chapitre 24
   ÉTÉ 1994 – LA VIE LÉGÈRE 213

Chapitre 25
   LA MAISON 221

MAINTENANT 255

Chapitre 26
   LE CONDITIONNEMENT 257

Chapitre 27
   L'AFFECTION DES FEMMES 265

Chapitre 28
   L'AMOUR DES HOMMES 271

Chapitre 29
   L'AMOUR DE MES ENFANTS... ET VÉNUS ! 275

Chapitre 30
   JE MARCHE ! 281

ÉPILOGUE 287

Achevé d'imprimer en octobre 1995
sur les presses de
l'Imprimerie d'édition Marquis
Montmagny (Québec)